4주 완성 스케줄표

공부한 날		주	일	학습 내용
월	일	**1**주	도입	이번에 배울 내용을 알아볼까요?
월	일		1일	1000이 10개인 수, 다섯 자리 수
월	일		2일	십만, 백만, 천만
월	일		3일	억, 조
월	일		4일	뛰어 세기
월	일		5일	수의 크기 비교
			평가 / 특강	누구나 100점 맞는 테스트 / 창의·융합·코딩
월	일	**2**주	도입	이번에 배울 내용을 알아볼까요?
월	일		1일	(세 자리 수)×(몇십)
월	일		2일	(세 자리 수)×(두 자리 수)
월	일		3일	(두 자리 수)×(세 자리 수)
월	일		4일	세 수의 곱셈
월	일		5일	곱의 크기 비교하기
			평가 / 특강	누구나 100점 맞는 테스트 / 창의·융합·코딩
월	일	**3**주	도입	이번에 배울 내용을 알아볼까요?
월	일		1일	몇십으로 나누기(1)
월	일		2일	몇십으로 나누기(2)
월	일		3일	나머지가 있는 (두 자리 수)÷(몇십)
월	일		4일	나머지가 있는 (몇백몇십)÷(몇십)
월	일		5일	나머지가 있는 (세 자리 수)÷(몇십)
			평가 / 특강	누구나 100점 맞는 테스트 / 창의·융합·코딩
월	일	**4**주	도입	이번에 배울 내용을 알아볼까요?
월	일		1일	몫이 한 자리 수인 (두 자리 수)÷(두 자리 수)
월	일		2일	몫이 한 자리 수인 (세 자리 수)÷(두 자리 수)
월	일		3일	몫이 몇십인 (세 자리 수)÷(두 자리 수)
월	일		4일	몫이 두 자리 수인 (세 자리 수)÷(두 자리 수)
월	일		5일	곱셈식에서 □의 값 구하기
			평가 / 특강	누구나 100점 맞는 테스트 / 창의·융합·코딩

공부한 날을 표시하고 하루하루 학습 내용을 살펴보세요.

Chunjae
Maketh
Chunjae

▼

기획총괄	박금옥
편집개발	지유경, 정소현, 조선영, 원희정,
	이정선, 최윤석, 김선주, 박선민
디자인총괄	김희정
표지디자인	윤순미, 안채리
내지디자인	박희춘, 이혜진
제작	황성진, 조규영

발행일	2021년 2월 1일 초판 2021년 2월 1일 1쇄
발행인	(주)천재교육
주소	서울시 금천구 가산로9길 54
신고번호	제2001-000018호
고객센터	1577-0902

똑똑한

하루
계산

4 A

기운과 끈기는
모든 것을 이겨낸다.
- 벤자민 플랭크린 -

주별 Contents

똑똑한 하루 계산

이 책의 특징

도입

이번에 배울 내용을 알아볼까요?

이번 주에 공부할 내용을 만화로 재미있게!

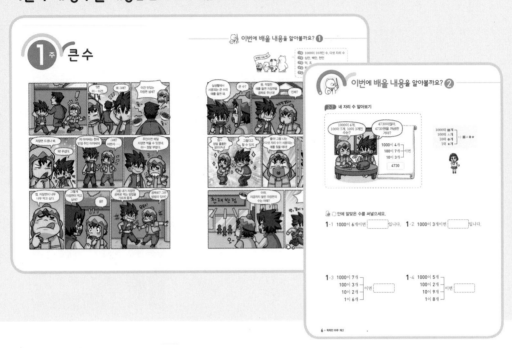

반드시 알아야
할 개념을
쉽고 재미있는
만화로 확인!

**개념
완성**

개념 · 원리 확인

쉬운 계산 원리를 만화로 쏙쏙!

계산 반복 훈련

계산 원리와 방법이
한눈에 쏙쏙!

기초 집중 연습

다양한 형태의 계산 문제를 **반복**하여 완벽하게 익히기!

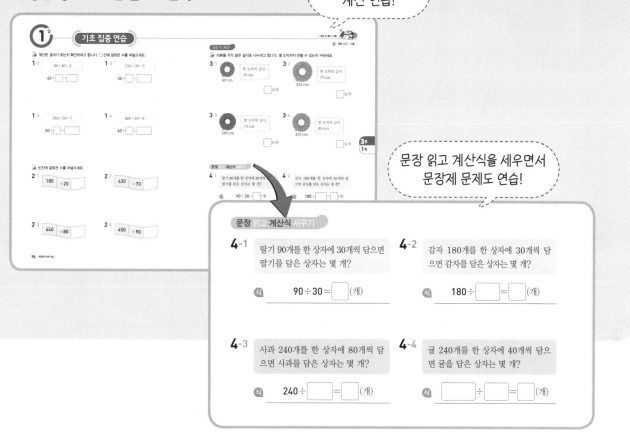

생활 속에서 필요한
계산 연습!

문장 읽고 계산식을 세우면서
문장제 문제도 연습!

문장 읽고 계산식 세우기

4-1 딸기 90개를 한 상자에 30개씩 담으면
딸기를 담은 상자는 몇 개?

식 $90 \div 30 = \boxed{}$ (개)

4-2 감자 180개를 한 상자에 30개씩 담
으면 감자를 담은 상자는 몇 개?

식 $180 \div \boxed{} = \boxed{}$ (개)

4-3 사과 240개를 한 상자에 80개씩 담
으면 사과를 담은 상자는 몇 개?

식 $240 \div \boxed{} = \boxed{}$ (개)

4-4 귤 240개를 한 상자에 40개씩 담으
면 귤을 담은 상자는 몇 개?

식 $\boxed{} \div \boxed{} = \boxed{}$ (개)

평가 + 창의 · 융합 · 코딩

한 주에 **배운 내용**을 **테스트**로 마무리!

빠르고 정확하게 풀어 보자!

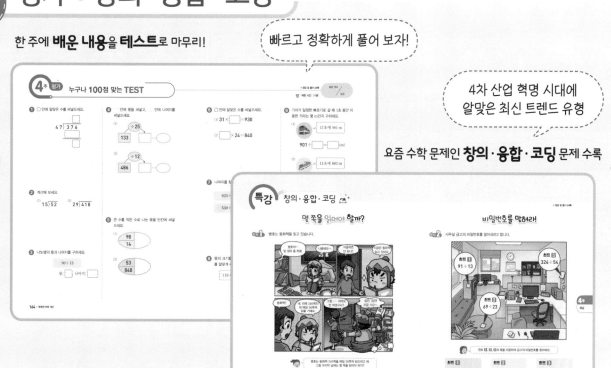

4차 산업 혁명 시대에
알맞은 최신 트렌드 유형

요즘 수학 문제인 **창의 · 융합 · 코딩** 문제 수록

1주 큰 수

앗!!
이… 이건?

왜 그래?

이건 맛있는
짜장면 냄새?

짜장면 드셨나 봐.

와! 대단해.

저 아저씨는 천재
반점 주인 아저씨야.

그래?
어쩐지……

주인이면 매일
짜장면 먹을 수 있겠네.
아~ 정말 부럽다.

쩝. 짜장면이 너무
너무 먹고 싶다.

그렇게
짜장면이 먹고
싶어?

응!!

그럼 내가 짜장면
공짜로 먹는 방법을
알려 줄게.

공짜로? 그런
방법이 있어?

2-2 네 자리 수 알아보기

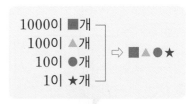

□ 안에 알맞은 수를 써넣으세요.

1-1 1000이 6개이면 ☐ 입니다.　**1-2** 1000이 3개이면 ☐ 입니다.

1-3
1000이 7개 ─┐
100이 3개 ─┤
　　　　　　├ 이면 ☐
10이 2개 ─┤
1이 6개 ─┘

1-4
1000이 5개 ─┐
100이 2개 ─┤
　　　　　　├ 이면 ☐
10이 9개 ─┤
1이 8개 ─┘

2-2 네 자리 수의 크기 비교

천의 자리 수를 비교해 봐요.
6810 > 5980
└ 6>5 ┘

천, 백, 십, 일의 자리끼리 차례로 비교하고 높은 자리의 수가 클수록 큰 수예요.

두 수의 크기를 비교하여 ○ 안에 >, =, <를 알맞게 써넣으세요.

2-1 2047 ◯ 2109

2-2 7286 ◯ 7268

2-3 5640 ◯ 4907

2-4 6844 ◯ 6842

2-5 2287 ◯ 2361

2-6 1402 ◯ 1406

1일 · 1000이 10개인 수, 다섯 자리 수 ①

똑똑한 하루 계산법

- **만 알아보기**

  1000이 10개인 수

  ⇨ 쓰기 **10000** 또는 **1만**   읽기 **만** 또는 **일만**

- **다섯 자리 수 알아보기**

  10000이 **2**개 ⎤
  1000이 **3**개 ⎥
  100이 **5**개 ⎥ ⇨ 쓰기 **23579**
  10이 **7**개 ⎥   읽기 **이만 삼천오백칠십구**
  1이 **9**개 ⎦

○× 퀴즈

수를 바르게 읽었으면 ○에, 잘못 읽었으면 ✕에 ○표 하세요.

35209

⇩

삼만 오천이백영구

정답 ✕에 ○표

똑똑한 계산 연습

⏰ 제한 시간 3분

🐻 수를 읽어 보세요.

① 70000

⇨ _____

② 40000

⇨ _____

③ 27347

⇨ _____

④ 63832

⇨ _____

⑤ 50079

⇨ _____

⑥ 38506

⇨ _____

🐻 ☐ 안에 알맞은 수를 써넣으세요.

⑦ 10000이 2개 ─┐
   1000이 8개 ─┤
    100이 7개 ─┤ 이면 ☐
     10이 4개 ─┤
      1이 5개 ─┘

⑧ 10000이 6개 ─┐
   1000이 0개 ─┤
    100이 4개 ─┤ 이면 ☐
     10이 8개 ─┤
      1이 9개 ─┘

⑨ 10000이 1개 ─┐
   1000이 5개 ─┤
    100이 7개 ─┤ 이면 ☐
     10이 4개 ─┤
      1이 8개 ─┘

⑩ 10000이 7개 ─┐
   1000이 2개 ─┤
    100이 0개 ─┤ 이면 ☐
     10이 6개 ─┤
      1이 3개 ─┘

1000이 10개인 수, 다섯 자리 수 ②

소연이는 책보다 옷을 더 좋아해.

옷? 그건 얼마야.

소연이가 좋아하는 옷은 45000원이더라.

헉!

45000원이면 4는 40000을, 5는 5000을 나타내니까…….

만 원짜리 지폐 4장, 천 원짜리 지폐 5장이 있어야 하지.

너무 비싸잖아! 그냥 책을 사 주자!

그래도 옷을 좋아하니까 옷을 사 주고 싶어!

옷!

옷!

책!

책!

옷!

책!

옷!

책!

둘다 도움이 안 되네. 나 혼자 선물 사러 가야겠다.

똑똑한 하루 계산법

• 35217에서 각 자리의 숫자가 나타내는 값 알아보기

	만의 자리	천의 자리	백의 자리	십의 자리	일의 자리
숫자	3	5	2	1	7
나타내는 값	30000	5000	200	10	7

30000＋5000＋200＋10＋7＝35217 이에요.

똑똑한 계산 연습

🐻 ☐ 안에 알맞은 수를 써넣으세요.

① **96712**
 ┌ 만의 자리 숫자는 ☐ 이고, ☐ 을 나타냅니다.
 └ 천의 자리 숫자는 ☐ 이고, ☐ 을 나타냅니다.

② **68025**
 ┌ 천의 자리 숫자는 ☐ 이고, ☐ 을 나타냅니다.
 └ 십의 자리 숫자는 ☐ 이고, ☐ 을 나타냅니다.

③ **82204**
 ┌ 만의 자리 숫자는 ☐ 이고, ☐ 을 나타냅니다.
 └ 백의 자리 숫자는 ☐ 이고, ☐ 을 나타냅니다.

④ **23091**
 ┌ 천의 자리 숫자는 ☐ 이고, ☐ 을 나타냅니다.
 └ 십의 자리 숫자는 ☐ 이고, ☐ 을 나타냅니다.

⑤ **72256**
 ┌ 백의 자리 숫자는 ☐ 이고, ☐ 을 나타냅니다.
 └ 일의 자리 숫자는 ☐ 이고, ☐ 을 나타냅니다.

⑥ **59125**
 ┌ 만의 자리 숫자는 ☐ 이고, ☐ 을 나타냅니다.
 └ 백의 자리 숫자는 ☐ 이고, ☐ 을 나타냅니다.

🐻 수로 나타내어 보세요.

1-1 구만 육천칠백십이

⇨ _____

1-2 육만 팔천이십오

⇨ _____

1-3 팔만 이천이백사

⇨ _____

1-4 삼만 구십일

⇨ _____

1-5 칠만 이천이백오십육

⇨ _____

1-6 오만 구천백이십오

⇨ _____

🐻 밑줄 친 숫자가 나타내는 값을 쓰세요.

2-1 63247 ⇨ [   ]

2-2 74089 ⇨ [   ]

2-3 24597 ⇨ [   ]

2-4 45791 ⇨ [   ]

제한 시간 5분

생활 속 문제

🐻 돈은 모두 얼마인지 쓰세요.

3-1

[   ]원

3-2

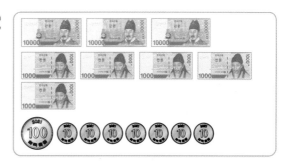

[   ]원

3-3

[   ]원

3-4

[   ]원

1주
1일

문장 읽고 문제 해결하기

4-1

10000이 2개, 1000이 3개, 100이 9개, 10이 9개, 1이 5개인 다섯 자리 수는?

답 _____

4-2

10000이 9개, 1000이 1개, 100이 6개, 1이 4개인 다섯 자리 수는?

답 _____

십만, 백만, 천만 ①

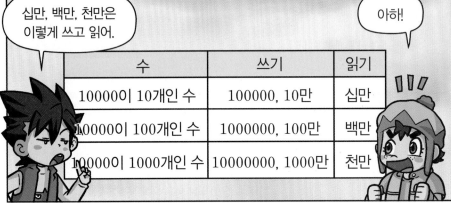

십만, 백만, 천만은 이렇게 쓰고 읽어.

수	쓰기	읽기
10000이 10개인 수	100000, 10만	십만
10000이 100개인 수	1000000, 100만	백만
10000이 1000개인 수	10000000, 1000만	천만

아하!

병호는 수학 공부 좀 더 하렴.

네……

어이구!

똑똑한 하루 계산법

• 십만, 백만, 천만 알아보기

10000이 ┌─ 10개인 수 ⇨ 쓰기 100000 또는 10만
│   읽기 십만
│
├─ 100개인 수 ⇨ 쓰기 1000000 또는 100만
│   읽기 백만
│
└─ 1000개인 수 ⇨ 쓰기 10000000 또는 1000만
        읽기 천만

 10000이 1234개이면 12340000 또는 1234만이라 쓰고, 천이백삼십사만이라고 읽습니다.

🐻 수를 읽어 보세요.

1) **800000**

⇨ _____

2) **305673**

⇨ _____

3) **3750000**

⇨ _____

4) **8456204**

⇨ _____

5) **58340059**

⇨ _____

6) **34843758**

⇨ _____

🐻 수로 나타내어 보세요.

7) 이십구만 칠백십삼

⇨ _____

8) 육십만 구천팔백삼

⇨ _____

9) 구십일만 육천삼백이십

⇨ _____

10) 팔십삼만 천팔백사십일

⇨ _____

11) 이백만 구천백오십이

⇨ _____

12) 오백구십만 천사백이십이

⇨ _____

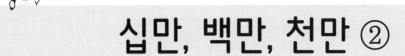

똑똑한 하루 계산법

• 42750000에서 각 자리 숫자가 나타내는 값 알아보기

	천만의 자리	백만의 자리	십만의 자리	만의 자리	천의 자리	백의 자리	십의 자리	일의 자리
각 자리 숫자 →	4	2	7	5	0	0	0	0

⇩

	천만의 자리	백만의 자리	십만의 자리	만의 자리	천의 자리	백의 자리	십의 자리	일의 자리
나타내는 값 →	4	0	0	0	0	0	0	0
		2	0	0	0	0	0	0
			7	0	0	0	0	0
				5	0	0	0	0

🐻 ☐ 안에 알맞은 수를 써넣으세요.

① 5435044

만의 자리 숫자 ⇨ ☐

② 8724523

십만의 자리 숫자 ⇨ ☐

③ 3856068

백만의 자리 숫자 ⇨ ☐

④ 6504846

만의 자리 숫자 ⇨ ☐

⑤ 65364046

백만의 자리 숫자 ⇨ ☐

⑥ 79054054

천만의 자리 숫자 ⇨ ☐

🐻 밑줄 친 숫자가 나타내는 값을 쓰세요.

⑦ 64510000

⇨ _____

⑧ 42180000

⇨ _____

⑨ 6490000

⇨ _____

⑩ 76134000

⇨ _____

⑪ 54600000

⇨ _____

⑫ 24800000

⇨ _____

기초 집중 연습

🐻 ⬜ 안에 알맞은 수나 말을 써넣으세요.

1-1 만이 **25**개이면 [ ] 또는 **25**만이라 쓰고 이십오만이라고 읽습니다.

1-2 만이 **300**개이면 [ ] 또는 **300**만이라 쓰고 [ ] 이라고 읽습니다.

1-3 만이 **4076**개이면 **40760000** 또는 [ ] 이라 쓰고

[ ] 이라고 읽습니다.

🐻 수를 표로 나타낸 것입니다. ⬜ 안에 알맞은 수를 써넣으세요.

2-1

27450000							
2	[ ]	4	[ ]	0	0	0	0
천	백	십	일	천	백	십	일
			만				일

27450000 = [ ] + 7000000 + [ ] + 50000

2-2

98450000							
[ ]	8	[ ]	5	0	0	0	0
천	백	십	일	천	백	십	일
			만				일

98450000 = 90000000 + [ ] + 400000 + [ ]

⏰ 제한 시간 5분

생활 속 문제

🐻 각 학교에서 모금한 해외 아동 돕기 모금액은 얼마인지 쓰세요.

3-1

정우네 학교의 모금액

 : 425장

정우

우리 학교의 모금액은
[   ] 원이야.

3-2

수현이네 학교의 모금액

: 703장

수현

우리 학교의 모금액은
[   ] 원이야.

3-3

태연이네 학교의 모금액

 : 3067장

태연

우리 학교의 모금액은
[   ] 원이야.

3-4

영탁이네 학교의 모금액

 : 2837장

영탁

우리 학교의 모금액은
[   ] 원이야.

1주
2일

문장 읽고 문제 해결하기

4-1

500만은 10000이 몇 개인 수?

 답 _____ 개

4-2

80만은 10000이 몇 개인 수?

답 _____ 개

억, 조 ①

똑똑한 하루 계산법

• 억 알아보기

1000만이 10개인 수

⇨ **쓰기** 1000000000 또는 **1억**

┗━━ 0이 8개 ━━┛

읽기 **억** 또는 **일억**

• 조 알아보기

1000억이 10개인 수

⇨ **쓰기** 10000000000000 또는 **1조**

┗━━━━ 0이 12개 ━━━━┛

읽기 **조** 또는 **일조**

○× 퀴즈

 설명이 바르면 ○에, 틀리면 ✕에 ○표 하세요.

5200000000은 오십이조라 고 읽습니다.

정답 ✕에 ○표

똑똑한 계산 연습

제한 시간 3분

🐻 수를 읽어 보세요.

① 75000000000

⇨ _____

② 3054500000000

⇨ _____

③ 748550000000

⇨ _____

④ 845056200000000

⇨ _____

⑤ 334843700000000

⇨ _____

⑥ 4084007460000000

⇨ _____

1주
3일

🐻 수로 나타내어 보세요.

⑦ 천사백오십이억 이천칠백십만

⇨ _____

⑧ 삼천구백육십사억 팔천육십삼만

⇨ _____

⑨ 팔십오조 육천삼백사십일억 이십만

⇨ _____

⑩ 이백팔조 이백사십칠억 팔천오백만

⇨ _____

⑪ 오천팔백구십일조 사십사억 오천만

⇨ _____

⑫ 오조 구천삼억 칠만

⇨ _____

억, 조 ②

마지막 문제!

987600000000에서 숫자 8은 어느 자리 숫자일까요?

정훈!

또?!

백억의 자리 숫자입니다!

9876 | 0000 | 0000
억　　만　　일
└─ 백억의 자리 숫자

정답입니다!

오늘의 우승자는 정훈 학생입니다!

야호~.

오늘의 우승 상품은 바로 수학학원 쿠폰입니다. 축하합니다!

쿠폰

컥~ 이기는 게 좋은 것만은 아니구나.

나, 집에 갈래!

수학 학원 쿠폰

똑똑한 하루 계산법

• 1234987600000000에서 각 자리 숫자가 나타내는 값 알아보기

십억의 자리 숫자,
나타내는 값: 7000000000

1	2	3	4	9	8	7	6	0	0	0	0	0	0	0	0
천	백	십	일	천	백	십	일	천	백	십	일	천	백	십	일
	조				억				만				일		

백조의 자리 숫자,
나타내는 값: 200000000000000

8은 백억의 자리 숫자이고 80000000000을 나타냅니다.

○✕ 퀴즈

설명이 바르면 ○에, 틀리면 ✕에 ○표 하세요.

23157018430000에서 백억의 자리 숫자를 바르게 말한 사람은 정우입니다.

5

7

정우

준희

○　　✕

정답 ○에 ○표

🐻 주어진 자리의 숫자를 빈칸에 써넣으세요.

① 135432000000

| 억의 자리 숫자 | |

② 51668885000900

| 조의 자리 숫자 | |

③ 21656083768667

| 백억의 자리 숫자 | |

④ 86435493354540

| 십조의 자리 숫자 | |

⑤ 39054275653105

| 십억의 자리 숫자 | |

⑥ 4364552054866455

| 백조의 자리 숫자 | |

1주
3일

🐻 밑줄 친 숫자가 나타내는 값을 쓰세요.

⑦ 547140064500
⇨ _____

⑧ 367002396298
⇨ _____

⑨ 908405418900300
⇨ _____

⑩ 24684000051090
⇨ _____

⑪ 25491735464500
⇨ _____

⑫ 1254140064050000
⇨ _____

기초 집중 연습

🐻 보기 와 같이 나타내어 보세요.

> **보기**
>
> 305억 2140만 ⇨ 30521400000

1-1 167억 3052만 ⇨ _____

1-2 1540억 4753만 ⇨ _____

1-3 3조 760억 1300만 ⇨ _____

🐻 밑줄 친 숫자가 나타내는 값이 <u>다른</u> 하나를 찾아 기호를 쓰세요.

2-1
㉠ 6452<u>6</u>45756542
㉡ 642<u>6</u>45604465156
㉢ <u>6</u>35681235458

☐

2-2
㉠ 65426<u>3</u>564300000
㉡ 3543<u>5</u>32530000
㉢ 2623515435253000

☐

2-3
㉠ <u>7</u>245640455570
㉡ <u>7</u>05024582450
㉢ 8<u>7</u>345734563468

☐

2-4
㉠ <u>6</u>542500000000
㉡ <u>6</u>554000002350000
㉢ <u>6</u>537575300000000

☐

생활 속 문제

🐻 각 나라의 인구를 수로 나타내어 보세요.

3-1  중국의 인구는 약 <u>십사억 삼천구백삼십이만</u> 명입니다.

⇨ _____

3-2  미국의 인구는 약 <u>삼억 삼천백만</u> 명입니다.

⇨ _____

3-3  인도의 인구는 약 <u>십삼억 팔천만</u> 명입니다.

⇨ _____

1주 3일

문장 읽고 문제 해결하기

4-1 억이 230개인 수는?

답 _____

4-2 조가 1302개인 수는?

답 _____

4-3 억이 3145개, 만이 2054개인 수는?

답 _____

4-4 조가 97개, 억이 1500개인 수는?

답 _____

뛰어 세기 ①

똑똑한 하루 계산법

• 10000씩 뛰어 세기

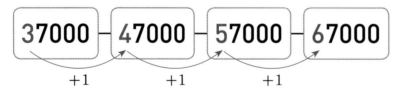

⇨ **10000씩** 뛰어 세면 **만**의 자리 숫자가 **1씩** 커집니다.

얼마만큼씩 뛰어 세었는지 알려면 먼저 어느 자리 숫자가 변하는지 알아봅니다.

○╳ 퀴즈

설명이 바르면 ○에, 틀리면 ╳에 ○표 하세요.

10만씩 뛰어 세면 십만의 자리 숫자가 10씩 커집니다.

 ○   ╳

정답 ╳에 ○표

얼마씩 뛰어 세었는지 쓰세요.

1

| 220만 | 320만 | 420만 | 520만 | 620만 |

⇨ [　　　　]씩

2

| 2억 137만 | 2억 147만 | 2억 157만 | 2억 167만 | 2억 177만 |

⇨ [　　　　]씩

3

| 4억 4527만 | 4억 5527만 | 4억 6527만 | 4억 7527만 | 4억 8527만 |

⇨ [　　　　]씩

1주
4일

뛰어 세어 빈칸에 알맞은 수를 써넣으세요.

4

| 51200 | 61200 | 71200 | [　　] | 91200 |

5

| 300만 | 400만 | [　　] | [　　] | 700만 |

6

| 7250만 | 8250만 | [　　] | [　　] | 1억 1250만 |

뛰어 세기 ②

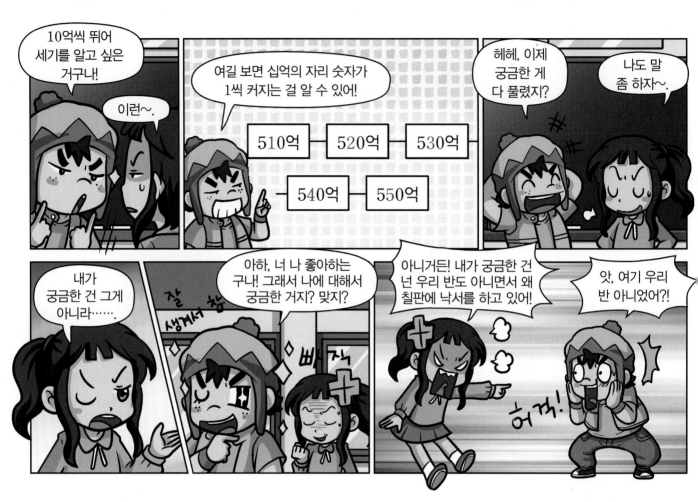

똑똑한 하루 계산법

- 10억씩 뛰어 세기

510억	520억	530억	540억

+1   +1   +1

⇨ **10억씩** 뛰어 세면 **십억**의 자리 숫자가 **1씩** 커집니다.

- 1조씩 뛰어 세기

23조 4억	24조 4억	25조 4억	26조 4억

+1   +1   +1

⇨ **1조씩** 뛰어 세면 **조**의 자리 숫자가 **1씩** 커집니다.

○✕ 퀴즈

설명이 바르면 ○에, 틀리면 ✕에 ○표 하세요.

100억씩 뛰어 세면 백억의 자리 숫자가 1씩 커집니다.

○   ✕

정답 ○에 ○표

똑똑한 계산 연습

🐻📖 얼마씩 뛰어 세었는지 쓰세요.

1 | 3120억 | 4120억 | 5120억 | 6120억 | 7120억 |

⇨ [   ] 씩

2 | 2240조 | 2250조 | 2260조 | 2270조 | 2280조 |

⇨ [   ] 씩

3 | 16조 50억 | 17조 50억 | 18조 50억 | 19조 50억 | 20조 50억 |

⇨ [   ] 씩

🐻📖 뛰어 세어 빈칸에 알맞은 수를 써넣으세요.

4 | 515억 | 615억 | 715억 | [   ] | [   ] |

5 | 4462억 | 4472억 | [   ] | 4492억 | [   ] |

6 | 2428조 | 3428조 | 4428조 | [   ] | [   ] |

🐻 주어진 수만큼씩 뛰어 세어 보세요.

1-1 100만씩 민호

| 1744만 | 1844만 | | | | |

1-2 2억씩 민하

| 6242억 | 6244억 | | | | |

🐻 규칙에 따라 빈칸에 알맞은 수를 써넣으세요.

2-1

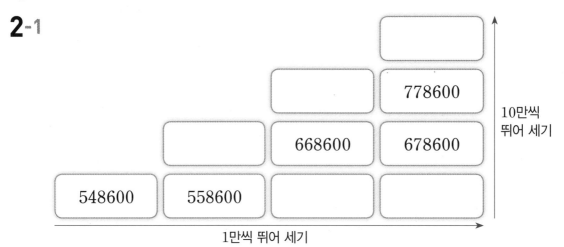

10만씩 뛰어 세기

			□
		□	778600
	□	668600	678600
548600	558600	□	□

1만씩 뛰어 세기

2-2

1000조씩 뛰어 세기

			□
	4269조		□
	3259조	□	3279조
2249조		2269조	□

10조씩 뛰어 세기

생활 속 문제

🐻 여행에 필요한 경비는 얼마인지 구하세요.

제한 시간 5분

3-1

295000원에서 만 원씩 5개월을 저금하면 갈 수 있겠다.

<table><tr><td></td><td>원</td></tr></table>

3-2

79000원에서 2만 원씩 4개월을 저금하면 갈 수 있겠다.

<table><tr><td></td><td>원</td></tr></table>

1주
4일

문장 읽고 문제 해결하기

4-1 10조 500억에서 2조씩 커지게 4번 뛰어 센 수는?

답 _____

4-2 3800만에서 10만씩 커지게 5번 뛰어 센 수는?

답 _____

4-3 7억 150만에서 200만씩 커지게 4번 뛰어 센 수는?

답 _____

4-4 9조 10억에서 100억씩 커지게 5번 뛰어 센 수는?

답 _____

똑똑한 하루 계산법

• 두 수의 자리 수가 다른 경우

자리 수가 **많은** 쪽이 더 **큰 수**입니다.

$$214700 < 2163000$$

(6자리 수) (7자리 수)

	백만	십만	만	천	백	십	일
214700		2	1	4	7	0	0
2163000	2	1	6	3	0	0	0

→ 백만의 자리 숫자 2가 있는
2163000이 더 큽니다.

○✕ 퀴즈

크기 비교가 바르면 ○에,
틀리면 ✕에 ○표 하세요.

$$436970 < 4306970$$

○   ✕

🐻 두 수의 크기를 비교하여 ○ 안에 >, <를 알맞게 써넣으세요.

① 870623 ◯ 98032

② 500064 ◯ 1658565

③ 578761 ◯ 1763495

④ 26346080 ◯ 30475

⑤ 6453197 ◯ 86124

⑥ 71046237 ◯ 9986240

⑦ 423000350 ◯ 503003466300

⑧ 1109억 2452만 ◯ 10925420000

⑨ 29846243500011 ◯ 사조 삼천오백이십일억

⑩ 육백삼십조 칠천이십만 오백구 ◯ 오십육조 칠억 구백이만 칠천육백이십사

수의 크기 비교 ②

똑똑한 하루 계산법

• 두 수의 자리 수가 같은 경우

가장 높은 자리 수부터 차례로 비교하여 수가 **큰** 쪽이 더 **큰 수**입니다.

$$14850000 \quad < \quad 15820000$$

4 < 5

	천만	백만	십만	만	천	백	십	일
14850000	1	4	8	5	0	0	0	0
15820000	1	5	8	2	0	0	0	0

→ 백만의 자리 숫자가 4 < 5이므로 15820000이 더 큽니다.

○×퀴즈

크기 비교가 바르면 ○에, 틀리면 ✕에 ○표 하세요.

3456만 > 3465만

○   ✕

정답 ✕에 ○표

똑똑한 계산 연습

🐻 두 수의 크기를 비교하여 ○ 안에 >, <를 알맞게 써넣으세요.

① 125766 ○ 217650

② 526564 ○ 535664

③ 6452054 ○ 6432054

④ 2465045 ○ 2466450

⑤ 91만 5702 ○ 876051

⑥ 3조 7003억 ○ 3조 7030억

⑦ 15억 8712만 ○ 1678090000

⑧ 41123495812754 ○ 41120495987645

⑨ 팔백이십삼조 오천억 ○ 팔백십삼조 구천삼백억

⑩ 칠백사십조 육백만 구십육 ○ 704조 91억 6900만

기초 집중 연습

🐻 두 수의 크기를 비교하여 더 큰 수의 기호를 쓰세요.

1-1

> ㉠ 6245800
> ㉡ 6217890

☐

1-2

> ㉠ 205억 2154만
> ㉡ 277억 2192만

☐

1-3

> ㉠ 삼십이억 이천만
> ㉡ 12794016005

☐

1-4

> ㉠ 만이 145개인 수
> ㉡ 415000

☐

🐻 두 수의 크기를 비교하여 ◯ 안에 >, <를 알맞게 써넣으세요.

2-1 조가 36개, 억이 8750개, 만이 6개인 수 ◯ 5001090000110

2-2 만이 1130개, 일이 215개인 수 ◯ 일억 천백십삼만 이백십오

2-3 억이 22개, 만이 39개인 수 ◯ 억이 49개, 만이 6100개인 수

제한 시간 5분

생활 속 문제

🐻 어느 도시의 아파트 가격입니다. ◯ 안에 >, <를 알맞게 써넣으세요.

사랑 아파트	하루 아파트	소망 아파트	희망 아파트
792000000원	9억 4500만 원	939000000원	10억 640만 원

3-1 사랑 아파트 ◯ 소망 아파트

3-2 하루 아파트 ◯ 희망 아파트

3-3 하루 아파트 ◯ 소망 아파트

3-4 사랑 아파트 ◯ 희망 아파트

1주
5일

문장 읽고 문제 해결하기

4-1 1380000원인 세탁기와 1649000원인 냉장고 중 가격이 더 높은 제품은?

답 _____

4-2 17만 kg인 대왕고래와 36000 kg인 혹등고래 중 무게가 더 무거운 고래는?

답 _____

1 수를 읽어 보세요.

71460573

( )

2 수로 나타내어 보세요.

사십구조 이백삼십억 육백오십사만

( )

3 ☐ 안에 알맞은 수나 말을 써넣으세요.

만이 **126**개이면 [   ] 또는

126만이라 쓰고 [   ]

이라고 읽습니다.

4 밑줄 친 숫자가 나타내는 값을 쓰세요.

(1)
5<u>8</u>0432

( )

(2)
1<u>4</u>60762

( )

5 각 자리 숫자와 나타내는 값을 빈칸에 써넣으세요.

81425018

	숫자	나타내는 값
천만의 자리		
백만의 자리		
십만의 자리		

6 보기와 같이 나타내어 보세요.

보기
27억 3100만 ⇨ 2731000000

45억 760만 ⇨ _____

9 두 수의 크기를 비교하여 ○ 안에 >, <를 알맞게 써넣으세요.

(1) 5784562766 ◯ 564529980

(2) 24억 988만 ◯ 24억 2988만

7 얼마씩 뛰어 세었는지 쓰세요.

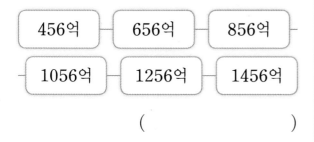

456억	656억	856억

1056억	1256억	1456억

( )

10 다음 중 가장 큰 수를 찾아 기호를 쓰세요.

㉠ 1조 27억 1057만
㉡ 1조 110억 375만
㉢ 1조 9756만

( )

1주
평가

8 뛰어 세어 빈칸에 알맞은 수를 써넣으세요.

1억 84만	1억 86만	
	1억 92만	

제한 시간 안에 정확하게
모두 풀었다면 여러분은 진정한 **계산왕**!

• **39**

비밀번호를 맞혀라!

 휴대전화의 비밀번호를 구하세요.

<비밀번호 힌트>

① 1654425의 십만의 자리 숫자 ⇨ ☐

② 1530492039583의 백억의 자리 숫자 ⇨ ☐

③ 12305235102100의 조의 자리 숫자 ⇨ ☐

④ 10232592065의 백만의 자리 숫자 ⇨ ☐

휴대전화의 비밀번호는

① ☐ ② ☐ ③ ☐ ④ ☐ 입니다.

▶ 정답 및 풀이 6쪽

입장객 수 비교하기

 융합 2 올해 입장객 수가 더 많은 곳은 어느 곳인지 알아보세요.

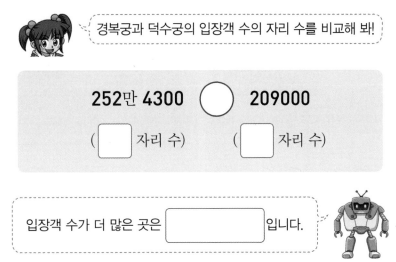

경복궁과 덕수궁의 입장객 수의 자리 수를 비교해 봐!

252만 4300 ◯ 209000

(☐ 자리 수)   (☐ 자리 수)

입장객 수가 더 많은 곳은 ☐ 입니다.

융합 3 우리나라의 1인 가구 수를 나타낸 표입니다. 2015년과 2019년의 1인 가구 수는 몇 명인지 읽어 보세요.

연도(년)	2015	2016	2017	2018	2019
1인 가구 수(명)	5203440	5397615	5618677	5848594	6147516

2015년 ⇨ _____ 명

2019년 ⇨ _____ 명

융합 4 어느 마스크 회사의 수출액은 1년에 10억 원씩 늘어납니다. ㉠, ㉡, ㉢에 알맞은 수를 ☐ 안에 써넣으세요.

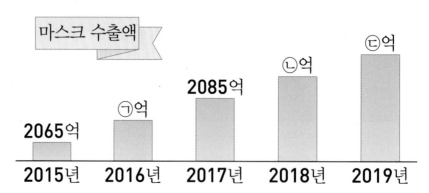

㉠억	㉡억	㉢억
☐ 억	☐ 억	☐ 억

▶정답 및 풀이 6쪽

융합 5 올해 복지예산은 얼마인지 수를 읽어 보세요.

올해 복지예산은
작년 대비 10조 원 늘어난
82500000000000원
입니다.

답 _____ 원

창의 6 출발 지점에서 도착 지점까지 길을 찾아 가려고 합니다. 두 수의 크기 비교를 바르게 한 것을 찾아 선으로 그어 보세요.

출발

㉠ 50억 40만 ㉡ 430억 855만 ➡ ㉠<㉡	㉠ 6806806 ㉡ 10680320 ➡ ㉠<㉡	㉠ 49023953 ㉡ 820572938 ➡ ㉠>㉡
㉠ 410358683 ㉡ 41억 ➡ ㉠>㉡	㉠ 24조 746억 ㉡ 6734523234 ➡ ㉠>㉡	㉠ 34647346346 ㉡ 546억 ➡ ㉠>㉡
㉠ 46억 6464만 ㉡ 66억 46만 ➡ ㉠>㉡	㉠ 5조 400만 ㉡ 5조 440억 ➡ ㉠<㉡	㉠ 65억 6464 ㉡ 65억 846 ➡ ㉠>㉡

도착

 서울에서 부산까지 가는 데 가장 많은 비용이 드는 이동 수단은 무엇인지 쓰세요.

| 비행기: 60900원 | 기차: 57800원 | 택시: 362700원 |

답 _____

 9월 15일의 잔액을 백만 원짜리 수표로 모두 찾았다면 백만 원짜리 수표는 몇 장일까요?

날짜	찾으신 금액	맡기신 금액	잔액
9월 12일	•	2000000	92000000
9월 13일	•	3000000	95000000
9월 14일	•	2000000	97000000
9월 15일	•	3000000	100000000

답 _____ 장

융합**9** 빛이 1년 동안 갈 수 있는 거리를 1광년이라 하고 1광년은 9조 4600억 km입니다. 지구로부터 '51 에리다니 b'까지의 거리를 km 단위로 나타냈을 때 숫자 4는 어느 자리 숫자일까요?

어린이 과학 신문

최근 지구로부터 약 100광년 가량 떨어진 곳에서 '51 에리다니 b'라고 이름이 지어진 행성을 찾았다. 과학자들은 이 행성 연구를 통해 목성이 성장하는 과정을 유추할 수 있을 것으로 기대하고 있다.

지구

51 에리다니 b

답 _____

1주

특강

융합**10** 태양과 행성 사이의 거리입니다. 태양에서 가까운 순서대로 행성의 이름을 쓰세요.

> 금성: 1억 821만 km　　목성: 7억 7800만 km
> 지구: 149600000 km　　토성: 1426980000 km

답 _____

2주 곱셈

이번에 배울 내용을 알아볼까요? ❶

그런데 한 사람이 하루에 물을 얼마만큼 사용할까?

음…

한 사람이 하루에 물을 300 L정도 사용한다던데~.

우와~ 300 L?

그럼 우리 반 친구 20명이 하루에 사용하는 물의 양은 모두 몇 L지?

300을 20번 더하면 되겠다!

아이구~

곱셈으로 계산하면 쉽게 구할 수 있잖아.

아하~

그럼 300×20을 계산하면 되지? 네가 계산해 봐.

앗! 그건……

너도 계산할 줄 모르는구나. 삼촌에게 물어 봐야겠다.

그래, 좋은 생각이야.

자, 가자.

더벅 벅

그전에 변기 물을 내려야지.

아… 알았어.

화장실

3-2 (세 자리 수)×(한 자리 수)의 계산

217 × 2 = 434

(세 자리 수)×(한 자리 수)의 계산에서 올림에 주의하여 계산해야 해.

$$\begin{array}{r} 1 \\ 217 \\ \times\ \ 2 \\ \hline 434 \end{array}$$

이렇게 일의 자리에서 올림한 수는 십의 자리 곱에 더해.

🐻 계산해 보세요.

1-1
$$\begin{array}{r} 1\ 2\ 4 \\ \times\quad 2 \\ \hline \end{array}$$

1-2
$$\begin{array}{r} 3\ 2\ 7 \\ \times\quad 3 \\ \hline \end{array}$$

🐻 빈칸에 알맞은 수를 써넣으세요.

2-1

231 × 3 =

2-2

436 × 2 =

3-2 (두 자리 수)×(두 자리 수)의 계산

26×13의 계산은
26×3과 26×10을
계산하여 두 곱을 더해요.

🐻 계산해 보세요.

3-1
```
    2 4
  × 3 2
```

3-2
```
    3 7
  × 1 4
```

🐻 빈칸에 알맞은 수를 써넣으세요.

4-1

×61

42 →

4-2

×83

28 →

(세 자리 수) × (몇십) ①

우와~ 이게 꿈은 아니겠죠?

우리 병호가 수학 시험에서 100점을 맞았어요.

나와 같이 공부한 보람이 있군요.

이것 좀 보세요!

이건 지난번 병호와 내가 공부했던 (몇백)×(몇십)의 계산이에요.

병호야, 600×40을 어떻게 계산했는지 말해보렴.

헤헤~ 간단해요.

(몇백)×(몇십)의 계산은 곱하는 두 수의 0의 개수의 합만큼 (몇)×(몇)의 계산 결과에 0을 붙여요.

6×4

$600 \times 40 = 24000$

0이 3개

우리 병호, 대단하구나!

뭘요~ 이 정도쯤이야~.

똑똑한 하루 계산법

• (몇백) × (몇십)

예 600 × 40의 계산

6×4

$600 \times 40 = 24000$

0이 3개

```
      6 0 0   ← 0이 2개
    ×   4 0   ← 0이 1개      ⊕
    2 4 0 0 0   ← 0이 3개
```

(몇백)×(몇십)은 곱하는 두 수의 0의 개수의 합만큼 (몇)×(몇)의 계산 결과에 0을 붙입니다.

○✕ 퀴즈

계산이 바르면 ○에, 틀리면 ✕에 ○표 하세요.

```
      5 0 0
    ×   3 0
    1 5 0 0 0
```

 ○   ✕

정답 ○에 ○표

🐻 계산해 보세요.

①
```
      2 0 0
  ×     8 0
```

②
```
      2 0 0
  ×     6 0
```

③
```
      5 0 0
  ×     5 0
```

④
```
      8 0 0
  ×     6 0
```

⑤
```
      7 0 0
  ×     3 0
```

⑥
```
      4 0 0
  ×     7 0
```

⑦ 600×60

⑧ 900×50

⑨ 800×70

⑩ 500×80

⑪ 700×90

⑫ 400×40

이건 나랑 같이 공부했던 (세 자리 수)×(몇십)의 계산이에요.

오~ 그렇네요.

병호야, 162×40의 계산도 설명해 보렴.

그… 그거요?

162×40은 162×4의 10배예요.

$$162 \times 4 = 648$$
$$\Rightarrow 162 \times 40 = 6480 \quad \leftarrow 10배$$

우리 아들! 장하다, 장해!

그럼, 이제 저 친구랑 놀다 올게요.

네? 병호의 시험지가 바뀌었어요? 병호 수학 점수는 55점이요?

병호, 너! 시험지 바뀐 거 알고 있었지?

똑똑한 하루 계산법

• (세 자리 수)×(몇십)

예 162×40의 계산

$$162 \times 4 = \underline{648} \Rightarrow 162 \times 40 = \underline{6480}$$

10배

$$\begin{array}{r} 1\,6\,2 \\ \times \quad 4 \\ \hline 6\,4\,8 \end{array} \Rightarrow \begin{array}{r} 1\,6\,2 \\ \times \quad 4\,0 \\ \hline 6\,4\,8\,0 \end{array}$$

10배

(세 자리 수)×(몇십)은 (세 자리 수)×(몇)의 값을 10배 하여 구합니다.

○×퀴즈

계산이 바르면 ○에, 틀리면 ✗에 ○표 하세요.

$$\begin{array}{r} 1\,5\,4 \\ \times \quad 3\,0 \\ \hline 4\,6\,2 \end{array}$$

▶정답 및 풀이 7쪽

⏰ 제한 시간 3분

🐻 계산해 보세요.

①
		2	5	3
	×		6	0

②
		1	2	5
	×		3	0

③
		5	1	4
	×		6	0

④
		8	2	1
	×		3	0

⑤
		3	5	8
	×		4	0

⑥
		6	8	7
	×		5	0

⑦
		3	6	5
	×		4	0

⑧
		7	2	6
	×		5	0

⑨
		9	2	7
	×		2	0

⑩
		4	1	4
	×		7	0

⑪
		6	3	3
	×		8	0

⑫
		3	8	4
	×		9	0

2주 1일

🐻 빈칸에 두 수의 곱을 써넣으세요.

1-1

400	90

1-2

600	70

1-3

239	30

1-4

453	50

🐻 빈칸에 알맞은 수를 써넣으세요.

2-1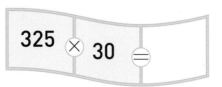

2-2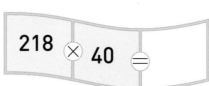

2-3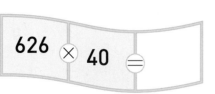

2-4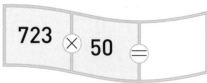

⏰ 제한 시간 | 8분

생활 속 계산

🐻 한 상자에 들어 있는 학용품의 수를 보고 각 학용품은 모두 몇 개인지 구하세요.

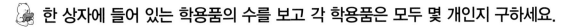

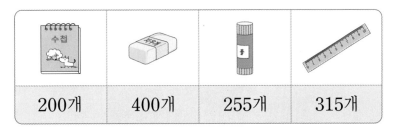

수첩	지우개	풀	자
200개	400개	255개	315개

3-1 ×60상자=[   ](개)

3-2 ×80상자=[   ](개)

3-3 ×40상자=[   ](개)

3-4 ×50상자=[   ](개)

2주
1일

문장 읽고 계산식 세우기

4-1 한 통에 800원인 양상추 20통의 값은?

식 $800 \times 20 =$ [   ](원)

4-2 한 자루에 600원인 연필 30자루의 값은?

식 $600 \times 30 =$ [   ](원)

4-3 사과를 한 상자에 240개씩 담았을 때 40상자에 담은 사과는 몇 개?

식 $240 \times$ [   ] $=$ [   ](개)

4-4 설탕을 한 봉지에 215 g씩 담았을 때 50봉지에 담은 설탕은 몇 g?

식 $215 \times$ [   ] $=$ [   ](g)

(세 자리 수) × (두 자리 수) ①

똑똑한 하루 계산법

• (세 자리 수) × (두 자리 수)의 계산 원리

⑩ 158 × 34의 계산 원리

$$158 \times 30 = \underline{4740} \qquad 158 \times 4 = \underline{632}$$

$$158 \times 34 = 4740 + 632$$
$$= 5372$$

 34를 30과 4의 합으로 생각하여
158에 30과 4를 각각 곱하여
두 곱을 더합니다.

○× 퀴즈

계산이 바르면 ○에,
틀리면 ✗에
○표 하세요.

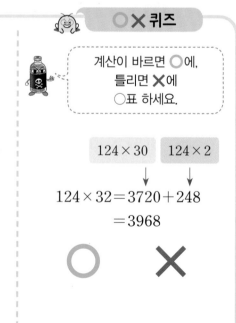

$$\boxed{124 \times 30} \quad \boxed{124 \times 2}$$
$$124 \times 32 = 3720 + 248$$
$$= 3968$$

○　　✗

똑똑한 계산 연습

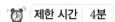

⏰ 제한 시간 4분

🐻 계산해 보세요.

136 × 30   136 × 5
↓   ↓

① 136 × 35 = ☐ + ☐ = ☐

(세 자리 수)×★▲는
(세 자리 수)×★0과,
(세 자리 수)×▲를
구해 두 곱을 더합니다.

241 × 20   241 × 8
↓   ↓

② 241 × 28 = ☐ + ☐ = ☐

528 × 40   528 × 2
↓   ↓

③ 528 × 42 = ☐ + ☐ = ☐

2주
2일

632 × 30   632 × 6
↓   ↓

④ 632 × 36 = ☐ + ☐ = ☐

429 × 50   429 × 3
↓   ↓

⑤ 429 × 53 = ☐ + ☐ = ☐

똑똑한 하루 계산법

• (세 자리 수)×(두 자리 수)를 세로로 계산하기

예 158×34의 계산

$$
\begin{array}{r}
1\ 5\ 8 \\
\times\quad 3\ 4 \quad \leftarrow 30+4 \\
\hline
6\ 3\ 2 \quad \leftarrow 158\times4 \\
4\ 7\ 4 \quad\;\; \leftarrow 158\times30 \\
\hline
5\ 3\ 7\ 2
\end{array}
$$

실제값은 4740으로 일의 자리 0을
생략하여 계산할 수 있습니다.

곱하는 수를 일의 자리와 십의 자리로 나누어
곱한 후 두 곱을 더합니다.

○× 퀴즈

계산이 바르면 ○에,
틀리면 ✗에
○표 하세요.

$$
\begin{array}{r}
2\ 5\ 8 \\
\times\quad 2\ 6 \\
\hline
1\ 5\ 4\ 8 \\
5\ 1\ 6\quad \\
\hline
6\ 7\ 0\ 8
\end{array}
$$

○　　✗

정답 ○에 ○표

똑똑한 계산 연습

🐻 계산해 보세요.

①

```
    1 8 2
×     3 4
```

②

```
    5 6 4
×     2 8
```

③

```
    2 9 1
×     5 6
```

④

```
    4 2 7
×     4 5
```

⑤

```
    3 1 6
×     3 3
```

⑥

```
    6 4 8
×     2 3
```

⑦

```
    5 0 6
×     6 4
```

⑧

```
    7 5 1
×     4 7
```

⑨

```
    8 3 9
×     7 1
```

🐻 빈칸에 알맞은 수를 써넣으세요.

1-1

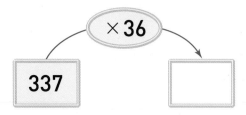

337   × 36

1-2

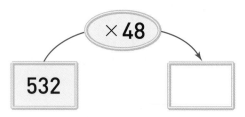

532   × 48

1-3

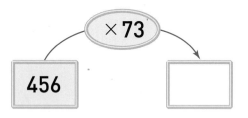

456   × 73

1-4

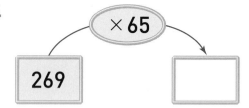

269   × 65

🐻 두 수의 곱을 구하세요.

2-1   363   56

2-2   456   39

2-3   523   42

2-4   692   27

⏰ 제한 시간 8분

생활 속 계산

🐻 빵 한 개를 만드는 데 필요한 밀가루의 양입니다. 빵을 주어진 개수만큼 만들 때 필요한 밀가루의 양을 구하세요.

3-1 1개 : 286 g

 ×25개 = ☐ (g)

3-2 1개 : 204 g

 ×31개 = ☐ (g)

3-3 1개 : 534 g

 ×45개 = ☐ (g)

3-4 1개 : 312 g

 ×67개 = ☐ (g)

2주
2일

문장 읽고 계산식 세우기

4-1 하루에 850원씩 17일 동안 저금하면 저금한 금액은?

식 850 × ☐ = ☐ (원)

4-2 하루에 540원씩 26일 동안 저금하면 저금한 금액은?

식 540 × ☐ = ☐ (원)

4-3 윗몸일으키기를 매일 154번씩 했을 때 24일 동안 한 횟수는 몇 번?

식 ☐ × 24 = ☐ (번)

4-4 줄넘기를 매일 142번씩 했을 때 17일 동안 한 횟수는 몇 번?

식 ☐ × 17 = ☐ (번)

(두 자리 수) × (세 자리 수) ①

똑똑한 하루 계산법

• (두 자리 수) × (몇백)

예 36 × 400의 계산

$$36 \times 4 = \underline{144} \Rightarrow 36 \times 400 = \underline{14400}$$

100배

$$\begin{array}{r} 3\,6 \\ \times\quad 4 \\ \hline 1\,4\,4 \end{array} \Rightarrow \begin{array}{r} 3\,6 \\ \times\,4\,0\,0 \\ \hline 1\,4\,4\,0\,0 \end{array}$$

100배

 (두 자리 수) × (몇백)은 (두 자리 수) × (몇)의 값을 100배 하여 구합니다.

○× 퀴즈

계산이 바르면 ○에, 틀리면 ✗에 ○표 하세요.

$$\begin{array}{r} 5\,4 \\ \times\,3\,0\,0 \\ \hline 1\,6\,2\,0 \end{array}$$

○　　✗

정답 ✗에 ○표

🐻 계산해 보세요.

①
```
        4 3
  ×  3 0 0
```

②
```
        3 8
  ×  3 0 0
```

③
```
        2 9
  ×  5 0 0
```

④
```
        6 5
  ×  2 0 0
```

⑤
```
        4 2
  ×  4 0 0
```

⑥
```
        5 4
  ×  6 0 0
```

⑦
```
        3 6
  ×  7 0 0
```

⑧
```
        2 7
  ×  9 0 0
```

⑨
```
        5 2
  ×  4 0 0
```

⑩
```
        7 3
  ×  4 0 0
```

⑪
```
        8 1
  ×  4 0 0
```

⑫
```
        6 7
  ×  5 0 0
```

(두 자리 수)×(세 자리 수) ②

똑똑한 하루 계산법

• (두 자리 수)×(세 자리 수)

예 27×326의 계산

$$
\begin{array}{r}
2\ 7 \\
\times\ 3\ 2\ 6 \\
\hline
1\ 6\ 2 \\
5\ 4 \\
8\ 1 \\
\hline
8\ 8\ 0\ 2
\end{array}
$$

← 300+20+6
← 27×6
← 27×20
← 27×300

27×20=540에서 540의 일의 자리 0,
27×300=8100에서 8100의 십의 자리,
일의 자리 0은 생략하여 계산할 수 있습니다.

○✕ 퀴즈

계산이 바르면 ○에,
틀리면 ✕에
○표 하세요.

$$
\begin{array}{r}
3\ 2 \\
\times\ 1\ 5\ 4 \\
\hline
1\ 2\ 8 \\
1\ 6\ 0 \\
3\ 2 \\
\hline
4\ 9\ 2\ 8
\end{array}
$$

정답 ○에 ○표

🐻 계산해 보세요.

①
			2	7
×		3	4	9

②
			4	2
×		2	5	3

③
			3	2
×		4	3	7

④
			5	3
×		1	3	4

⑤
			4	8
×		3	3	5

⑥
			6	3
×		2	1	5

⑦
			3	7
×		2	6	8

⑧
			6	2
×		5	4	8

⑨
			7	3
×		4	5	3

2주 3일

3^일 기초 집중 연습

🐻 빈칸에 알맞은 수를 써넣으세요.

1-1

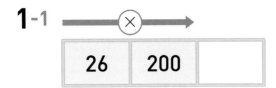

26	200	

1-2

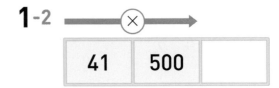

41	500	

1-3

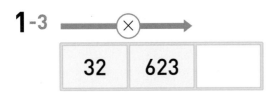

32	623	

1-4

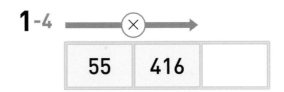

55	416	

🐻 두 친구가 말하는 수의 곱을 구하세요.

2-1

 47 200

2-2

32 500

2-3

 41 426

2-4

 67 223

생활 속 계산

🐻 과일 1개의 무게를 보고 상자에 담긴 과일의 무게를 구하세요.

3-1

15 g × 🍒162개

☐ g

3-2

32 g × 🍓112개

☐ g

3-3

49 g × 🟣224개

☐ g

3-4

82 g × 🟠256개

☐ g

2주
3일

문장 읽고 계산식 세우기

4-1

한 개에 85 g인 버터 264개의 무게는 몇 g?

식 $85 \times 264 =$ ☐ (g)

4-2

한 개에 36 g인 초콜릿 117개의 무게는 몇 g?

식 $36 \times 117 =$ ☐ (g)

4-3

사탕이 한 상자에 56개씩 담겨 있을 때 150상자에 담긴 사탕은 몇 개?

식 $56 \times$ ☐ $=$ ☐ (개)

4-4

쿠키가 한 봉지에 25개씩 담겨 있을 때 125봉지에 담긴 쿠키는 몇 개?

식 $25 \times$ ☐ $=$ ☐ (개)

똑똑한 하루 계산법

• 세 수의 곱셈을 앞에서부터 차례로 계산하기

예 $25 \times 7 \times 32$ 의 계산

$$
\begin{array}{r}
2\ 5 \\
\times\quad 7 \\
\hline
1\ 7\ 5
\end{array}
\longrightarrow
\begin{array}{r}
1\ 7\ 5 \\
\times\quad 3\ 2 \\
\hline
3\ 5\ 0 \\
5\ 2\ 5\quad \\
\hline
5\ 6\ 0\ 0
\end{array}
$$

 세 수의 곱셈을 앞에서부터
차례로 계산합니다.

○× 퀴즈

 계산이 바르면 ○에,
틀리면 ✗에
○표 하세요.

$15 \times 9 \times 25 = 3375$

$$
\begin{array}{r}
1\ 5 \\
\times\quad 9 \\
\hline
1\ 3\ 5
\end{array}
\longrightarrow
\begin{array}{r}
1\ 3\ 5 \\
\times\quad 2\ 5 \\
\hline
6\ 7\ 5 \\
2\ 7\ 0\quad \\
\hline
3\ 3\ 7\ 5
\end{array}
$$

정답 ○에 ○표

똑똑한 계산 연습

🐻 계산해 보세요.

1 $58 \times 3 \times 64 =$ ☐

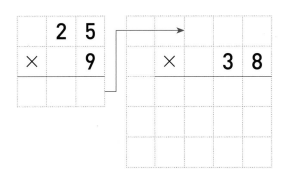

2 $25 \times 9 \times 38 =$ ☐

3 $42 \times 7 \times 53 =$ ☐

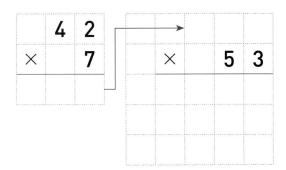

4 $63 \times 5 \times 45 =$ ☐

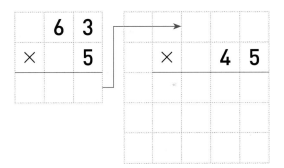

5 $32 \times 9 \times 26 =$ ☐

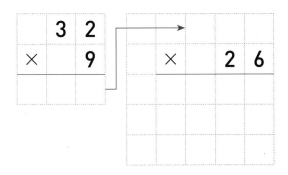

6 $73 \times 4 \times 56 =$ ☐

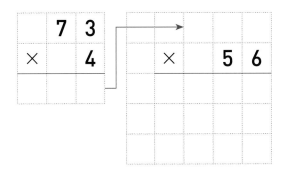

세 수의 곱셈 ②

똑똑한 하루 계산법

• 세 수의 곱셈을 두 수씩 계산하기

예) $16 \times 8 \times 25$의 계산

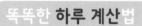

$$16 \times 8 \times 25 = 3200$$
128
3200

계산 결과가 같습니다.

세 수의 곱셈은
두 수씩 곱하여
계산합니다.

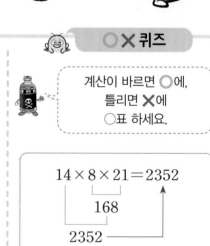

$$16 \times 8 \times 25 = 3200$$
200
3200

○ ✕ 퀴즈

계산이 바르면 ○에,
틀리면 ✕에
○표 하세요.

$$14 \times 8 \times 21 = 2352$$
168
2352

○　　　✕

🐻 계산해 보세요.

1 $33 \times 4 \times 51 =$ ⬜

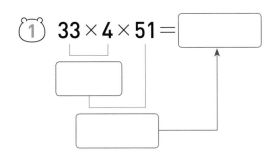

$33 \times 4 \times 51 =$ ⬜

2 $68 \times 3 \times 47 =$ ⬜

$68 \times 3 \times 47 =$ ⬜

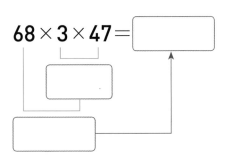

3 $54 \times 4 \times 26 =$ ⬜

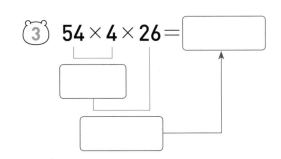

$54 \times 4 \times 26 =$ ⬜

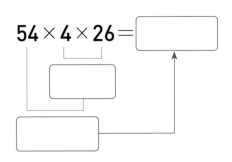

4 $73 \times 5 \times 35 =$ ⬜

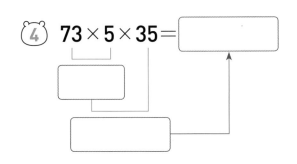

$73 \times 5 \times 35 =$ ⬜

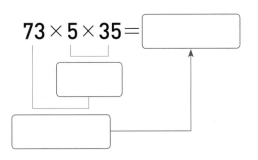

🐻 세 수의 곱을 빈칸에 써넣으세요.

1-1

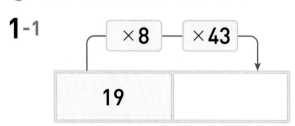

1-2

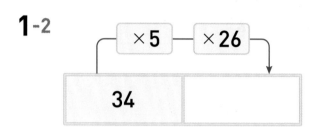

1-3

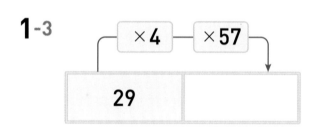

1-4

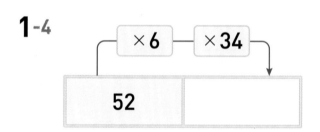

🐻 빈칸에 알맞은 수를 써넣으세요.

2-1

| 41 | ➡ | ×3 | ×35 |

2-2

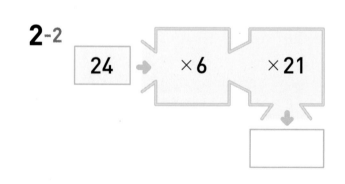

생활 속 계산

🐻 자전거 경주를 할 수 있는 4종류의 트랙이 있습니다. 트랙의 종류와 도는 횟수를 보고 참가한 선수들이 돈 총 거리를 구하세요.

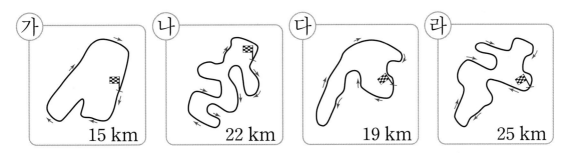

3-1 ㉮ **7바퀴 × 54명**

$15 \times 7 \times 54 =$ ☐ (km)

3-2 ㉯ **8바퀴 × 62명**

$22 \times 8 \times 62 =$ ☐ (km)

3-3 ㉰ **9바퀴 × 72명**

☐ km

3-4 ㉱ **6바퀴 × 83명**

☐ km

2주 4일

문장 읽고 계산식 세우기

4-1 초콜릿이 한 상자에 27개씩 4묶음이 들어 있을 때 35상자에 들어 있는 초콜릿은 모두 몇 개?

식 $27 \times 4 \times$ ☐ $=$ ☐ (개)

4-2 한 봉지에 14 g짜리 체리가 8개 들어 있을 때 24봉지에 들어 있는 체리는 모두 몇 g?

식 $14 \times 8 \times$ ☐ $=$ ☐ (g)

곱의 크기 비교하기 ①

똑똑한 하루 계산법

• 계산 결과와 수의 크기 비교

예 123×25와 3100의 크기 비교

$$123 \times 25 \quad < \quad 3100$$

$123 \times 25 = 3075$

먼저 123×25를 계산하면
$123 \times 25 = 3075$예요.

$3075 < 3100$이므로
$123 \times 25 < 3100$이에요.

○✕ 퀴즈

크기 비교를
바르게 했으면 ○에,
틀리게 했으면 ✕에
○표 하세요.

$$154 \times 26 \; < \; 4000$$

○   ✕

정답 ✕에 ○표

똑똑한 계산 연습

⏰ 제한 시간 5분

🐻 크기를 비교하여 ○ 안에 >, =, <를 알맞게 써넣으세요.

① | 192×37 | ○ | 7100

② | 234×26 | ○ | 6000

③ | 314×17 | ○ | 5400

④ | 408×22 | ○ | 8970

⑤ | 315×31 | ○ | 9800

⑥ | 524×25 | ○ | 13000

⑦ | 15160 | ○ | 433×35

⑧ | 12840 | ○ | 273×47

⑨ | 10100 | ○ | 347×29

⑩ | 18981 | ○ | 513×37

2주 5일

곱의 크기 비교하기 ②

한 문제 더 맞히면 탕수육까지 사주마.

진짜요?

236×34와 152×48 중 더 큰 것은?

윽! 너무 어려워요.

아냐, 어렵지 않아. 236×34와 152×48을 각각 계산하여 비교하면 236×34가 더 커.

236×34 $>$ 152×48
$=8024$ $=7296$

어쩔 수 없이 탕수육까지 사줘야겠군.

우와~ 신난다! 오늘 탕수육 먹는다~.

오늘 먹는다고?

문제를 맞히면 사주신다고 했잖아요!

사준다고 했지 오늘이라고는 안 했는데~.

삼 촌!

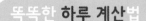

똑똑한 하루 계산법

• 계산 결과의 크기 비교

예) 236×34와 152×48의 크기 비교

$$236 \times 34 \quad > \quad 152 \times 48$$

$\rightarrow 236 \times 34 = 8024$ $\rightarrow 152 \times 48 = 7296$

먼저 236×34와 152×48을 계산해.

$8024 > 7296$이니까 236×34가 152×48 보다 더 커.

○✕ 퀴즈

계산 결과의 크기 비교를 바르게 했으면 ○에, 틀리게 했으면 ✕에 ○표 하세요.

126×53 $<$ 209×33

○   ✕

정답 ○에 ○표

똑똑한 계산 연습

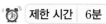

⏰ 제한 시간 6분

🐻 계산 결과를 비교하여 ○ 안에 >, =, <를 알맞게 써넣으세요.

① 100×20 ○ 200×13

② 233×40 ○ 316×30

③ 300×28 ○ 263×40

④ 441×26 ○ 503×21

⑤ 269×27 ○ 392×10

⑥ 425×38 ○ 623×23

⑦ 523×22 ○ 453×27

⑧ 629×45 ○ 923×23

두 곱을 정확하게 계산해야 해.

응, 그 다음에 계산 결과를 비교하면 되지?

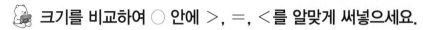

5^일 기초 집중 연습

🐻 크기를 비교하여 ◯ 안에 >, =, <를 알맞게 써넣으세요.

1-1
$$323 \times 23 \bigcirc 7520$$

1-2
$$407 \times 30 \bigcirc 12000$$

🐻 보기와 같이 계산 결과가 더 큰 깃발에 ◯표 하세요.

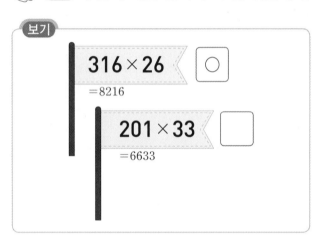

보기

316×26 ◯
=8216

201×33 □
=6633

2-1
224×29 □

182×34 □

2-2
723×16 □

583×24 □

2-3
416×52 □

347×47 □

제한 시간 10분

생활 속 계산

🐻 친구들이 각자 읽은 책의 쪽수와 읽은 날수입니다. 읽은 쪽수를 비교하여 ○ 안에 >, =, <를 알맞게 써넣으세요.

3-1   과학책 ○ 만화책

〈20쪽씩 120일〉　〈17쪽씩 152일〉

3-2 영어책 ○ 동화책

〈23쪽씩 143일〉　〈32쪽씩 102일〉

3-3 동화책 ○ 과학책

〈28쪽씩 105일〉　〈16쪽씩 140일〉

3-4 만화책 ○ 영어책

〈42쪽씩 104일〉　〈33쪽씩 136일〉

문장 읽고 문제 해결하기

4-1
색종이가 노란색은 255장씩 19묶음, 파란색은 5000장 있을 때 더 많이 있는 색종이는?

| 255 × 19 | ○ | 5000 |

〈노란색 색종이〉　〈파란색 색종이〉

 답 _____

4-2
수 카드가 130장씩 25묶음, 한글 카드가 110장씩 30묶음 있을 때 더 많이 있는 카드는?

| 130 × 25 | ○ | 110 × 30 |

〈수 카드〉　〈한글 카드〉

 답 _____

1 ☐ 안에 알맞은 수를 써넣으세요.

(1) $400 \times 50 =$ ☐

(2) $700 \times 70 =$ ☐

2 계산해 보세요.

(1)
```
    2 3 6
  ×   4 0
```

(2)
```
    5 4 8
  ×   5 0
```

3 ☐ 안에 알맞은 수를 써넣으세요.

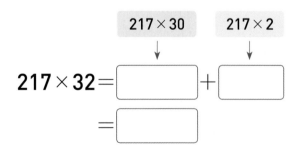

$217 \times 32 =$ ☐ $+$ ☐

$=$ ☐

4 빈칸에 알맞은 수를 써넣으세요.

(1)
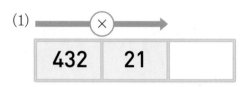

×		
432	21	

(2)
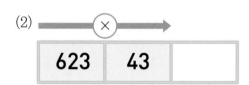

×		
623	43	

5 준희와 태연이가 말한 두 수의 곱을 구하세요.

(   )

6 두 수의 곱을 빈칸에 써넣으세요.

(1)
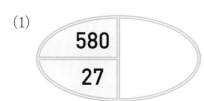

580

27

(2)
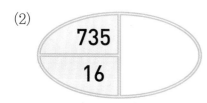

735

16

7 계산해 보세요.

(1) $26 \times 9 \times 37$

(2) $53 \times 6 \times 45$

8 빈칸에 알맞은 수를 써넣으세요.

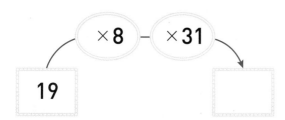

×8 ×31

19

9 크기를 비교하여 ○ 안에 >, =, <를 알맞게 써넣으세요.

219×53 ○ 11200

219×53을 계산하여 11200과 크기를 비교합니다.

10 계산 결과를 비교하여 ○ 안에 >, =, <를 알맞게 써넣으세요.

(1) 421×28 ○ 317×33

(2) 297×54 ○ 523×26

제한 시간 안에 정확하게 모두 풀었다면 여러분은 진정한 **계산왕**!

특강 창의·융합·코딩

빙산의 일각

 빙산의 수면 위 높이가 90 m입니다.

 전체 높이가 수면 위 높이의 200배인 빙산의 전체 높이를 구해 보자.

답 _____ m

 빙산의 일각이란 어떤 일의 대부분이 숨겨져 있고 겉으로 드러나는 것은 극히 일부분일 때 쓰는 표현입니다.

물을 절약하자!

 다음을 읽고 절약한 물의 양을 구하세요.

 표의 빈칸에 알맞은 수를 써넣으세요.

물 절약 방법	빨랫감 모아 세탁하기	양치컵 사용하기
1회에 절약되는 양(L)	196	2
실천 횟수(회)	19	285
절약한 물의 양(L)		

융합 **3** 어느 날 우리나라와 캐나다 환율이 다음과 같았습니다. 캐나다 돈 70달러는 우리나라 돈으로 얼마인지 구하세요.

외국 돈과 우리나라 돈을 바꿀 때의 비율을 환율이라고 해요.

답 _____ 원

융합 **4** 다음은 곡식의 양을 나타낼 때 사용하는 단위로 '쌀 한 말', '콩 한 되' 등으로 사용합니다. 쌀 25섬은 모두 몇 L인지 구하세요.

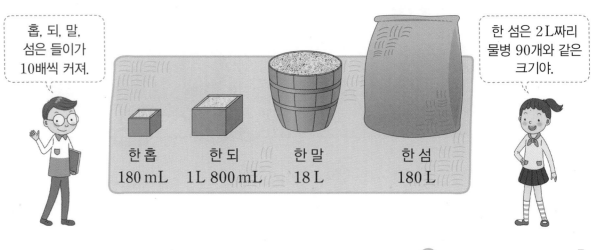

홉, 되, 말, 섬은 들이가 10배씩 커져.

한 섬은 2 L짜리 물병 90개와 같은 크기야.

한 홉	한 되	한 말	한 섬
180 mL	1 L 800 mL	18 L	180 L

답 _____ L

▶ 정답 및 풀이 12쪽

대한 아파트에는 625가구가 살고 있습니다. 이 아파트에 사는 모든 가구에서 전기 절약 운동에 참여합니다. 물음에 답하세요.

전기 절약 방법	플러그 뽑기	낮에 등 끄기
한 가구에서 하루에 절약하는 전기 요금(원)	32	28

용합 5 대한 아파트에서 플러그 뽑기로 하루에 절약하는 전기 요금은 얼마일까요?

답 _____ 원

용합 6 대한 아파트에서 낮에 등 끄기로 하루에 절약하는 전기 요금은 얼마일까요?

답 _____ 원

아래로 내려가다 가로 선을 만나면 가로 선을 따라가는 방법으로 사다리 타기를 하여 차례로 곱을 구하고 빈칸에 알맞은 수를 써넣으세요.

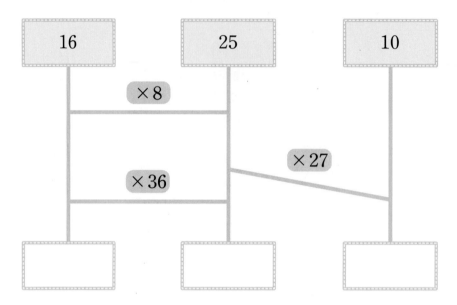

| 16 | 25 | 10 |

×8

×36 ×27

융합 **8** 음식의 열량을 보고 주어진 양의 열량은 모두 몇 kcal인지 구하세요.

→ 킬로칼로리

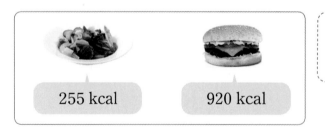

255 kcal   920 kcal

열량은 사람이 음식을 먹으면 힘을 낼 수 있는 에너지의 양으로 단위로 kcal(킬로칼로리)를 사용합니다.

음식의 양	60접시	35개
열량(kcal)		

창의 9 왼쪽 상자의 공 3개로 세 자리 수를 만들고, 오른쪽 상자의 공 2개로 두 자리 수를 만들어 (세 자리 수)×(두 자리 수)의 식을 만듭니다.

| 세 자리 수 | 두 자리 수 |

가장 큰 곱이 되도록 곱셈식을 만들고 계산해 보세요.

$$\boxed{}\boxed{}\boxed{} \times \boxed{}\boxed{} = \boxed{}$$

코딩 10 로봇이 길에 놓인 수 카드를 주운 후 두 수의 곱을 구합니다. 블록명령문을 보고 로봇이 주운 수 카드에 적힌 두 수의 곱을 구하세요.

앞으로 3 칸 가기 ➡

오른쪽으로 90° 회전하기

앞으로 3 칸 가기 ➡

카드 줍기

왼쪽으로 90° 회전하기

앞으로 2 칸 가기 ➡

카드 줍기

	327				
23		225		19	
		42			
		416			

답 _____

3주 나눗셈 (1)

이번에 배울 내용을 알아볼까요? **1**

똑똑한 하루 계산

3-2 (몇십)÷(몇)의 계산

나누는 수
$$90 \div 6 = 15 \Rightarrow 6\overline{)90}$$
몫 ← 몫
↑
몫   나누어지는 수

90÷6의 몫은 15구나.

🐻 계산해 보세요.

1-1

$$4\overline{)60}$$

1-2

$$5\overline{)70}$$

1-3 50÷2

1-4 80÷6

1-5 90÷4

3-2 (세 자리 수)÷(한 자리 수)의 계산

쿠키 275개를 5명이 똑같이 나누어 먹자.

275÷5=55 이니까 한 명이 55개씩 먹을 수 있어요.

5)275의 백의 자리에서 2를 5로 나눌 수 없어요.

그렇다면 27을 5로 나누고 남은 2, 즉 20과 일의 자리 5를 합친 25를 5로 나누면 돼요.

3주
1일

계산해 보세요.

2-1

```
5 ) 1 9 0
```

2-2

```
8 ) 5 2 0
```

2-3 340÷4

2-4 450÷7

2-5 490÷6

똑똑한 하루 계산법

• 나머지가 없는 (몇십)÷(몇십)

예 60÷30의 계산

$$30 \times 1 = 30$$
$$30 \times 2 = 60$$
$$30 \times 3 = 90$$

$$30)\overline{60} \quad ← 몫$$
$$\underline{60} \quad 30 \times 2$$
$$0$$

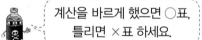

$$60 \div 30 = 2$$
계산한 결과가 맞는지 확인하기
⇨ $30 \times 2 = 60$

○×퀴즈

계산을 바르게 했으면 ○표,
틀리면 ×표 하세요.

$$20)\overline{\begin{matrix}10\\20\end{matrix}}$$
$$\underline{20}$$
$$0$$

❶

$$20)\overline{\begin{matrix}1\\20\end{matrix}}$$
$$\underline{20}$$
$$0$$

❷

정답 ❶ × ❷ ○

똑똑한 계산 연습

🐻 계산해 보세요.

① 8 0) 8 0

② 3 0) 3 0

③ 2 0) 4 0

④ 2 0) 6 0

⑤ 7 0) 7 0

⑥ 4 0) 8 0

⑦ 6 0) 6 0

⑧ 9 0) 9 0

⑨ 4 0) 4 0

⑩ 5 0) 5 0

⑪ 2 0) 8 0

⑫ 3 0) 9 0

3주
1일

똑똑한 하루 계산법

• 나머지가 없는 (몇백몇십)÷(몇십)

예 120÷30의 계산

$$30 \times 3 = 90$$
$$30 \times 4 = 120$$
$$30 \times 5 = 150$$

$$30 \overline{)120} \quad \begin{array}{r} 4 \leftarrow 몫 \\ \end{array}$$

$$120 \quad \cdots 30 \times 4$$
$$\underline{}$$
$$0$$

120÷30=4
계산한 결과가 맞는지 확인하기
⇨ 30×4=120

○× 퀴즈

계산을 바르게 했으면 ○표,
틀리면 ×표 하세요.

$$60 \overline{)120} \quad \begin{array}{r} 20 \\ \end{array}$$
$$120$$
$$\underline{}$$
$$0 \qquad ❶$$

$$60 \overline{)120} \quad \begin{array}{r} 2 \\ \end{array}$$
$$120$$
$$\underline{}$$
$$0 \qquad ❷$$

정답 ❶ ×   ❷ ○

계산해 보세요.

① 20)1 6 0

② 30)2 4 0

③ 40)2 8 0

④ 50)2 5 0

⑤ 60)3 6 0

⑥ 70)4 9 0

⑦ 80)5 6 0

⑧ 90)5 4 0

⑨ 40)3 2 0

⑩ $180 \div 60$

⑪ $480 \div 80$

⑫ $450 \div 50$

⑬ $350 \div 50$

기초 집중 연습

 계산한 결과가 맞는지 확인하려고 합니다. ☐ 안에 알맞은 수를 써넣으세요.

1-1
$$80 \div 40 = 2$$

$40 \times$ ☐ $=$ ☐

1-2
$$150 \div 30 = 5$$

$30 \times$ ☐ $=$ ☐

1-3
$$350 \div 50 = 7$$

$50 \times$ ☐ $=$ ☐

1-4
$$480 \div 60 = 8$$

$60 \times$ ☐ $=$ ☐

 빈칸에 알맞은 수를 써넣으세요.

2-1

| 180 | ÷ 20 | |

2-2

| 630 | ÷ 70 | |

2-3

| 640 | ÷ 80 | |

2-4

| 450 | ÷ 90 | |

▶ 정답 및 풀이 14쪽

생활 속 계산

🐻 리본을 각각 같은 길이로 나누려고 합니다. 몇 도막까지 만들 수 있는지 구하세요.

3-1

80 cm

한 도막의 길이:
20 cm

□도막

3-2

420 cm

한 도막의 길이:
70 cm

□도막

3-3

280 cm

한 도막의 길이:
70 cm

□도막

3-4

420 cm

한 도막의 길이:
60 cm

□도막

3주
1일

문장 읽고 계산식 세우기

4-1

딸기 90개를 한 상자에 30개씩 담으면 딸기를 담은 상자는 몇 개?

식 $90 \div 30 = \boxed{}$(개)

4-2

감자 180개를 한 상자에 30개씩 담으면 감자를 담은 상자는 몇 개?

식 $180 \div \boxed{} = \boxed{}$(개)

4-3

사과 240개를 한 상자에 80개씩 담으면 사과를 담은 상자는 몇 개?

식 $240 \div \boxed{} = \boxed{}$(개)

4-4

귤 240개를 한 상자에 40개씩 담으면 귤을 담은 상자는 몇 개?

식 $\boxed{} \div \boxed{} = \boxed{}$(개)

몇십으로 나누기 ③

삼촌, 수학 잘해요?

수학?

4학년 문제는 삼촌에겐 식은 죽 먹기지!

와~ 정말요!

그럼 이 나눗셈은 어떻게 하는지 알려주세요.

좋아. 어디 보자.

그러니까~ 이 문제는……

쯧쯧

$300 \div 30 = 10$ 이잖아!

$$\begin{array}{r} 1\,0 \\ 3\,0\,\overline{)\,3\,0\,0} \\ 3\,0 \\ \hline 0 \end{array}$$

형님도 참~, 제가 그렇게 알려 주려고 했어요.

거짓말하네.

똑똑한 하루 계산법

• 몫이 두 자리 수이고 나머지가 없는 (몇백)÷(몇십)

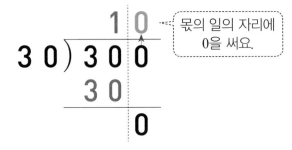

㉞ $300 \div 30$의 계산

$$\begin{array}{r} 1\,0 \\ 3\,0\,\overline{)\,3\,0\,0} \\ 3\,0 \\ \hline 0 \end{array}$$

몫의 일의 자리에 0을 써요.

몫을 1이라고 쓰지 않도록 주의합니다.

○✕ 퀴즈

계산이 바르면 ○에, 틀리면 ✕에 ○표 하세요.

$$\begin{array}{r} 1 \\ 2\,0\,\overline{)\,2\,0\,0} \\ 2\,0 \\ \hline 0 \end{array}$$

○   ✕

정답 ✕에 ○표

계산해 보세요.

① 2 0) 4 0 0

② 3 0) 6 0 0

③ 4 0) 8 0 0

④ 6 0) 6 0 0

⑤ 9 0) 9 0 0

⑥ 2 0) 8 0 0

⑦ 3 0) 9 0 0

⑧ 4 0) 4 0 0

⑨ 2 0) 6 0 0

⑩ 5 0) 5 0 0

⑪ 7 0) 7 0 0

⑫ 8 0) 8 0 0

몇십으로 나누기 ④

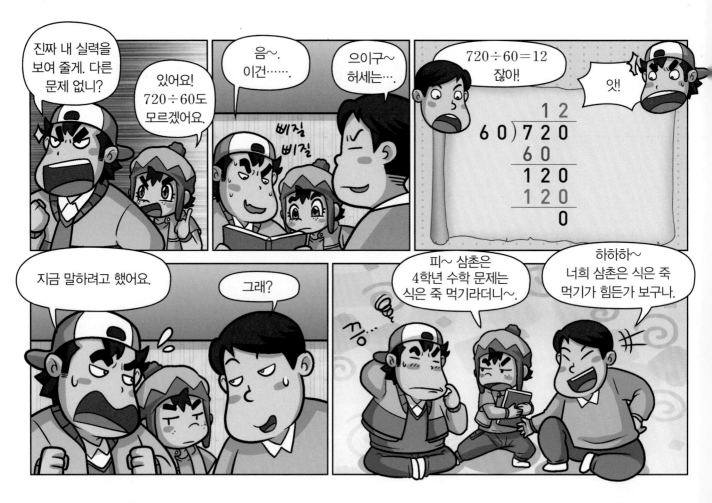

똑똑한 하루 계산법

- **몫이 두 자리 수이고 나머지가 없는 (몇백몇십)÷(몇십)**

예) 720÷60의 계산

```
        1 2
6 0 ) 7 2 0
        6 0
      1 2 0
      1 2 0
            0
```

720의 왼쪽 두 자리 수인 72를 60으로 먼저 나눕니다.

720÷60=12
계산한 결과가 맞는지 확인하기
⇨ 60×12=720

```
          1 1
2 0 ) 3 2 0
        2 0
      1 2 0
      1 2 0
            0
```

 ○   ✕

정답 ✕에 ○표

똑똑한 계산 연습

🐻 계산해 보세요.

① 4 0) 6 8 0

② 5 0) 7 5 0

③ 6 0) 8 4 0

④ 2 0) 7 4 0

⑤ 8 0) 9 6 0

⑥ 7 0) 9 1 0

⑦ 2 0) 5 8 0

⑧ 4 0) 7 2 0

⑨ 3 0) 5 4 0

3주
2일

2^일 기초 집중 연습

🐻 계산한 결과가 맞는지 확인하려고 합니다. ☐ 안에 알맞은 수를 써넣으세요.

1-1
$420 \div 20 = 21$

$20 \times 21 = \boxed{}$

1-2
$660 \div 30 = 22$

$30 \times 22 = \boxed{}$

1-3
$440 \div 40 = 11$

$40 \times 11 = \boxed{}$

1-4
$700 \div 20 = 35$

$20 \times 35 = \boxed{}$

🐻 빈칸에 알맞은 수를 써넣으세요.

2-1
$620 \rightarrow \div 20 \rightarrow \boxed{}$

2-2
$480 \rightarrow \div 40 \rightarrow \boxed{}$

2-3
$360 \rightarrow \div 20 \rightarrow \boxed{}$

2-4
$720 \rightarrow \div 30 \rightarrow \boxed{}$

제한 시간 10분

생활 속 계산

 버스에 모두 타려면 몇 대가 필요한지 구하세요.

3-1

전체 820명이고 한 대에 20명씩 탈 수 있어요.

$820 \div 20 = $ ☐ (대)

3-2

전체 630명이고 한 대에 30명씩 탈 수 있어요.

$630 \div 30 = $ ☐ (대)

3-3

전체 560명이고 한 대에 40명씩 탈 수 있어요.

$560 \div 40 = $ ☐ (대)

3-4

전체 900명이고 한 대에 20명씩 탈 수 있어요.

$900 \div 20 = $ ☐ (대)

3주
2일

문장 읽고 계산식 세우기

4-1

철사 990 cm를 똑같이 30도막으로 자를 때 한 도막의 길이는?

식 $990 \div $ ☐ $= $ ☐ (cm)

4-2

철사 570 cm를 똑같이 30도막으로 자를 때 한 도막의 길이는?

식 ☐ $\div$ ☐ $=$ ☐ (cm)

4-3

지점토 840 g을 똑같이 40개로 나눌 때 한 개의 무게는?

식 $840 \div $ ☐ $= $ ☐ (g)

4-4

지점토 960 g을 똑같이 60개로 나눌 때 한 개의 무게는?

식 ☐ $\div$ ☐ $=$ ☐ (g)

와아~ 우리가 일등으로 등교했나 봐!

헤헤~ 우리 수학 숙제 하면서 애들 기다릴까?

좋아!

나 78÷20을 잘 모르겠어. 넌 알아?

응.

78÷20을 계산하면 몫은 3이고 나머지는 18이야.

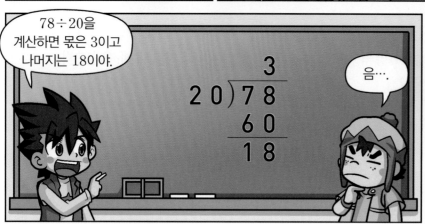

$$20 \overline{)\begin{array}{c} 3 \\ 78 \\ 60 \\ \hline 18 \end{array}}$$

음….

왜? 무슨 문제 있어?

이해가 잘 안 됐어.

똑똑한 하루 계산법

• 나머지가 있는 (두 자리 수)÷(몇십)

예 78÷20의 계산

$$20 \times 2 = 40$$
$$20 \times 3 = 60$$
$$20 \times 4 = 80$$

$$20 \overline{)\begin{array}{c} 3 \quad \leftarrow 몫 \\ 78 \\ 60 \\ \hline 18 \quad \leftarrow 나머지 \end{array}}$$

78은 60과 80 사이의 수이므로 몫은 3입니다.

78에서 20 × 3의 값을 빼면 나머지가 됩니다.

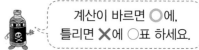

🐻 계산해 보세요.

① 2 0) 6 5

② 3 0) 9 7

③ 2 0) 8 7

④ 2 0) 7 5

⑤ 3 0) 8 2

⑥ 4 0) 9 6

⑦ 3 0) 7 2

⑧ 5 0) 6 5

⑨ 2 0) 8 4

⑩ 4 0) 8 8

⑪ 2 0) 5 7

⑫ 6 0) 7 3

똑똑한 하루 계산법

• (두 자리 수)÷(몇십)의 계산한 결과가 맞는지 확인하기

예 78÷20을 계산한 결과가 맞는지 확인하기

$$78 \div 20 = 3 \cdots 18$$

$$20 \times 3 = \underline{60}, \quad \underline{60} + 18 = 78$$

 나누는 수와
몫의 곱을 먼저
구합니다.

그 결과에 나머지를
더한 것이 나누어지는
수가 되어야 합니다.

○✕ 퀴즈

바르게 확인했으면 ○에,
잘못 확인했으면 ✕에
○표 하세요.

$$51 \div 20 = 2 \cdots 11$$

$$20 \times 2 = \underline{40}, \quad \underline{40} + 11 = 51$$

 ○   ✕

정답 ○에 ○표

🐻 나눗셈을 하고 계산한 결과가 맞는지 확인해 보세요.

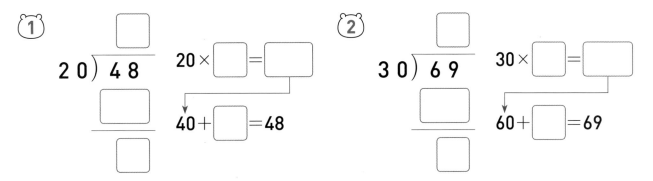

①
$20 \overline{)48}$

$20 \times \boxed{} = \boxed{}$

$40 + \boxed{} = 48$

②
$30 \overline{)69}$

$30 \times \boxed{} = \boxed{}$

$60 + \boxed{} = 69$

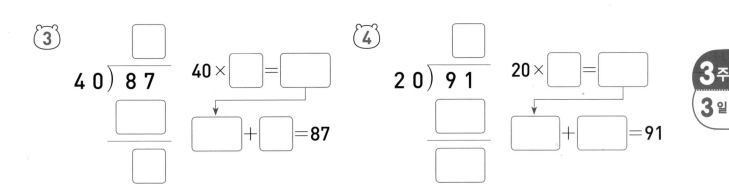

③
$40 \overline{)87}$

$40 \times \boxed{} = \boxed{}$

$\boxed{} + \boxed{} = 87$

④
$20 \overline{)91}$

$20 \times \boxed{} = \boxed{}$

$\boxed{} + \boxed{} = 91$

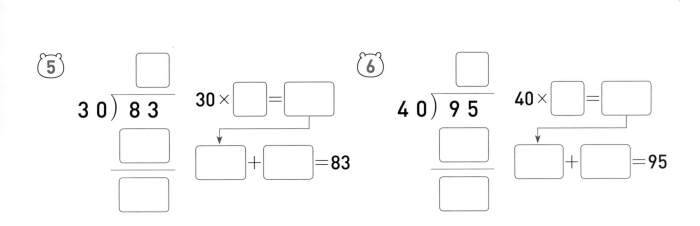

⑤
$30 \overline{)83}$

$30 \times \boxed{} = \boxed{}$

$\boxed{} + \boxed{} = 83$

⑥
$40 \overline{)95}$

$40 \times \boxed{} = \boxed{}$

$\boxed{} + \boxed{} = 95$

기초 집중 연습

🐻 계산한 결과가 맞는지 확인하려고 합니다. ☐ 안에 알맞은 수를 써넣으세요.

1-1

$$75 \div 30 = 2 \cdots 15$$

$$30 \times \boxed{} = \boxed{}$$

$$\boxed{} + \boxed{} = 75$$

1-2

$$91 \div 40 = 2 \cdots 11$$

$$40 \times \boxed{} = \boxed{}$$

$$\boxed{} + \boxed{} = 91$$

1-3

$$88 \div 20 = 4 \cdots 8$$

$$20 \times \boxed{} = \boxed{}$$

$$\boxed{} + \boxed{} = \boxed{}$$

1-4

$$95 \div 30 = 3 \cdots 5$$

$$30 \times \boxed{} = \boxed{}$$

$$\boxed{} + \boxed{} = \boxed{}$$

🐻 빈칸에 몫을 써넣고, ◯ 안에 나머지를 써넣으세요.

2-1
$$71 \div 30 = \boxed{} \cdots \bigcirc$$

2-2
$$54 \div 20 = \boxed{} \cdots \bigcirc$$

2-3
$$79 \div 50 = \boxed{} \cdots \bigcirc$$

2-4
$$97 \div 30 = \boxed{} \cdots \bigcirc$$

제한 시간 | 10분

생활 속 문제

🐻 주어진 개수만큼 학용품이 있습니다. 상자에 적힌 개수만큼 한 상자에 담아 포장할 때 몇 상자 까지 포장할 수 있는지 구하세요.

71개	98개	85개	59개

3-1  20개 [ ] 상자

3-2  30개 [ ] 상자

3-3  40개 [ ] 상자

3-4  20개 [ ] 상자

문장 읽고 계산식 세우기

4-1 색 테이프 84 cm를 30 cm씩 자르면 몇 도막이 되고, 몇 cm가 남을까?

식 $84 \div 30 =$ [ ] … [ ]

답 _____ 도막, _____ cm

4-2 색 테이프 95 cm를 20 cm씩 자르면 몇 도막이 되고, 몇 cm가 남을까?

식 $95 \div 20 =$ [ ] … [ ]

답 _____ 도막, _____ cm

똑똑한 하루 계산법

• 몫이 한 자리 수이고 나머지가 있는 (몇백몇십)÷(몇십)

예) 260÷30의 계산

$30 \times 7 = 210$
$30 \times 8 = 240$
$30 \times 9 = 270$

$$\begin{array}{r} 8 \leftarrow 몫 \\ 30\overline{)260} \\ 240 \\ \hline 20 \leftarrow 나머지 \end{array}$$

$260 \div 30 = 8 \cdots 20$
계산한 결과가 맞는지 확인하기
⇨ $30 \times 8 = \underline{240}, \underline{240} + 20 = 260$

○× 퀴즈

계산을 바르게 했으면 ○표, 틀리면 ×표 하세요.

$$\begin{array}{r} 6 \\ 40\overline{)290} \\ 240 \\ \hline 50 \end{array}$$ ❶

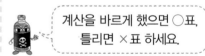

$$\begin{array}{r} 5 \\ 50\overline{)280} \\ 250 \\ \hline 30 \end{array}$$ ❷

정답 ❶ × ❷ ○

똑똑한 계산 연습

 계산해 보세요.

① 20)130

② 60)440

③ 30)230

④ 30)160

⑤ 50)180

⑥ 70)340

⑦ 40)210

⑧ 90)650

⑨ 20)150

⑩ 50)430

⑪ 60)390

⑫ 80)760

3주 4일

똑똑한 하루 계산법

• **몫이 두 자리 수이고 나머지가 있는 (몇백몇십)÷(몇십)**

예 570÷20의 계산

```
        2 8
  2 0 ) 5 7 0
        4 0
        1 7 0
        1 6 0
          1 0
```

570에서 57이 20보다 크므로 몫은 두 자리 수입니다.

570÷20＝28 … 10

계산한 결과가 맞는지 확인하기

⇨ 20×28＝560, 560＋10＝570

```
          1 4
  2 0 ) 3 9 0
        2 0
          9 0
          8 0
          1 0
```

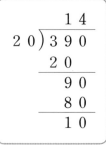

○   ✕

정답 ✕에 ○표

계산해 보세요.

① 30)520

② 40)510

③ 20)710

④ 60)830

⑤ 50)930

⑥ 30)770

⑦ 40)670

⑧ 70)860

⑨ 60)940

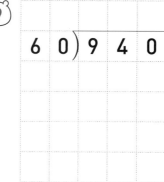

🐻 나눗셈의 몫과 나머지를 구하세요.

1-1
$$170 \div 40$$

몫: ☐, 나머지: ☐

1-2
$$760 \div 50$$

몫: ☐, 나머지: ☐

1-3
$$890 \div 30$$

몫: ☐, 나머지: ☐

1-4
$$780 \div 40$$

몫: ☐, 나머지: ☐

🐻 빈칸에 몫을 써넣고, ◯ 안에 나머지를 써넣으세요.

2-1
| 110 | ÷20 | | ◯ |

2-2
| 740 | ÷60 | | ◯ |

2-3
| 240 | ÷50 | | ◯ |

2-4
| 860 | ÷30 | | ◯ |

2-5
| 590 | ÷80 | | ◯ |

2-6
| 630 | ÷40 | | ◯ |

생활 속 계산

🐻 주어진 간식을 똑같이 나누어 먹었을 때 남는 간식은 몇 개인지 구하세요.

3-1 190개
30명이 똑같이 나누어 먹었어요.

☐ 개

3-2 420개
50명이 똑같이 나누어 먹었어요.

☐ 개

3-3  710개
40명이 똑같이 나누어 먹었어요.

☐ 개

3-4 750개
20명이 똑같이 나누어 먹었어요.

☐ 개

3주
4일

문장 읽고 문제 해결하기

4-1 지우개 250개를 한 상자에 60개씩 포장할 때, 포장할 수 있는 상자는 몇 개?

식 250 ÷ ☐ = ☐ ⋯ ☐

답 _____ 개

4-2 연필 580자루를 한 상자에 50자루씩 포장할 때, 포장할 수 있는 상자는 몇 개?

식 580 ÷ ☐ = ☐ ⋯ ☐

답 _____ 개

똑똑한 하루 계산법

• **몫이 한 자리 수이고 나머지가 있는 (세 자리 수)÷(몇십)**

예 $775÷80$의 계산

$$80×8=640$$
$$80×9=720$$
$$80×10=800$$

$$
\begin{array}{r}
9 \quad\leftarrow 몫 \\
80\overline{)775} \\
720 \\
\hline
55 \quad\leftarrow 나머지
\end{array}
$$

$775÷80=9 \cdots 55$
계산한 결과가 맞는지 확인하기
⇨ $80×9=720,\ 720+55=775$

 ○✕ 퀴즈

$$
\begin{array}{r}
7 \\
30\overline{)229} \\
210 \\
\hline
19
\end{array}
$$
❶

$$
\begin{array}{r}
8 \\
60\overline{)472} \\
480 \\
\hline
8
\end{array}
$$
❷

정답 ❶ ○ ❷ ✕

🐻 계산해 보세요.

① 30)169

② 50)327

③ 60)515

④ 40)213

⑤ 30)109

⑥ 60)482

⑦ 20)175

⑧ 50)334

⑨ 30)252

⑩ 80)691

⑪ 70)467

⑫ 40)329

3주
5일

나머지가 있는 (세 자리 수)÷(몇십) ②

똑똑한 하루 계산법

- **몫이 두 자리 수이고 나머지가 있는 (세 자리 수)÷(몇십)**

  예 455÷20의 계산

  $$\begin{array}{r} 22 \\ 20\overline{)455} \\ 40 \\ \hline 55 \\ 40 \\ \hline 15 \end{array}$$

   나머지는 항상 나누는 수보다 작아야 합니다.

  455÷20=22 … 15
  계산한 결과가 맞는지 확인하기
  ⇨ 20×22=440, 440+15=455

○✕ 퀴즈

계산이 바르면 ○에,
틀리면 ✕에 ○표 하세요.

$$\begin{array}{r} 19 \\ 30\overline{)583} \\ 30 \\ \hline 283 \\ 270 \\ \hline 13 \end{array}$$

○ ✕

  정답 ○에 ○표

똑똑한 계산 연습

🐻 계산해 보세요.

① 50)634

② 40)721

③ 70)946

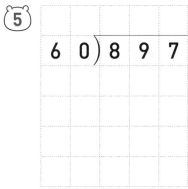

④ 20)493

⑤ 60)897

⑥ 30)782

⑦ 80)985

⑧ 40)563

⑨ 20)829

기초 집중 연습

🐻 나눗셈의 몫과 나머지를 구하세요.

1-1

234÷30

몫: ☐ , 나머지: ☐

1-2

878÷60

몫: ☐ , 나머지: ☐

1-3

945÷40

몫: ☐ , 나머지: ☐

1-4

827÷30

몫: ☐ , 나머지: ☐

🐻 빈칸에 몫을 써넣고, ◯ 안에 나머지를 써넣으세요.

2-1

÷

248	30	
50		

÷

2-2

÷

809	20	
70		

÷

2-3

÷

374	40	
70		

÷

2-4

÷

826	60	
30		

÷

제한 시간 10분

생활 속 계산

어린이들이 각자 동화책을 다 읽으려면 며칠이 걸리는지 구하세요.

3-1
지윤

전체 353쪽인 책을 매일 40쪽씩 읽어요.

식 353 ÷ 40 = ☐ … ☐

답 _____ 일

3-2
수영

전체 414쪽인 책을 매일 30쪽씩 읽어요.

식 414 ÷ ☐ = ☐ … ☐

답 _____ 일

3-3
재석

전체 577쪽인 책을 매일 50쪽씩 읽어요.

식 577 ÷ ☐ = ☐ … ☐

답 _____ 일

3주
5일

문장 읽고 문제 해결하기

4-1 리본 1개를 만드는 데 색 테이프 60 cm가 필요할 때 색 테이프 439 cm로 만들 수 있는 리본은 몇 개?

식 439 ÷ ☐ = ☐ … ☐

답 _____ 개

4-2 꽃 1개를 만드는 데 색 테이프 70 cm가 필요할 때 색 테이프 974 cm로 만들 수 있는 꽃은 몇 개?

식 974 ÷ ☐ = ☐ … ☐

답 _____ 개

① ☐ 안에 알맞은 수를 써넣으세요.

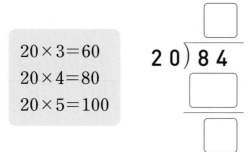

$20 \times 3 = 60$
$20 \times 4 = 80$
$20 \times 5 = 100$

② ☐ 안에 알맞은 수를 써넣으세요.

(1)

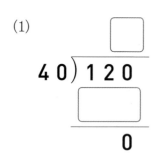

(2)

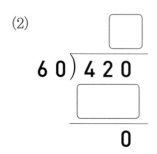

③ 계산해 보세요.

$$50 \overline{)850}$$

④ 계산해 보세요.

(1) $480 \div 70$

(2) $730 \div 30$

⑤ 빈칸에 몫을 써넣으세요.

(1)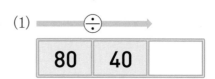

| 80 | 40 | |

(2) ÷

| 150 | 30 | |

제한 시간 | 10분

6 나눗셈의 몫과 나머지를 구하세요.

$$284 \div 70$$

몫 (   )

나머지 (   )

9 큰 수를 작은 수로 나눈 몫을 구하세요.

(1)
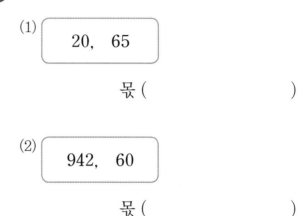

| 20,   65 |

몫 (   )

(2)
| 942,   60 |

몫 (   )

7 빈칸에 몫을 쓰고, ◯ 안에 나머지를 써넣으세요.

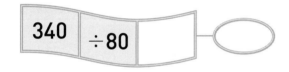

3주

평가

10 나머지의 크기를 비교하여 ◯ 안에 >, =, <를 알맞게 써넣으세요.

(1)
| $230 \div 70$ | ◯ | $180 \div 80$ |

(2)
| $517 \div 40$ | ◯ | $682 \div 50$ |

8 계산한 결과가 맞는지 확인하려고 합니다. ☐ 안에 알맞은 수를 써넣으세요.

$$470 \div 90 = 5 \cdots 20$$

$$90 \times \boxed{} = \boxed{} ,$$

$$\boxed{} + \boxed{} = \boxed{}$$

제한 시간 안에 정확하게 모두 풀었다면 여러분은 진정한 **계산왕!**

 **창의·융합·코딩**

걸리는 시간은 몇 시간 몇 분일까?

 비행기를 타고 인천공항에서 <u>샤를드골공항</u>까지 가는 데 걸리는 시간을 구하세요.
└ 프랑스 파리의 국제 공항

인천공항에서 샤를드골공항까지 가는 데 걸리는 시간은 몇 시간 몇 분일까?

 식　**735 ÷ 60 =** ☐ ··· ☐

 인천공항에서 샤를드골공항까지 가는 데 걸리는
시간은 ☐ 시간 ☐ 분이야.

▶ 정답 및 풀이 18쪽

도둑 맞은 물건을 찾아라!

 창의 2   보석상에 도둑이 들었습니다. 보석상에서 도둑맞은 물건은 무엇일까요?

 ①과 ②의 알맞은 수에 해당하는 글자를 찾으면 훔쳐간 물건을 알 수 있어.

13	6	17	24	8
지	반	팔	발	찌

 도둑맞은 물건은 ① ☐ ② ☐ 입니다.

특강 창의·융합·코딩

융합 3 동물원 사육사가 코끼리 먹이 180 kg을 한 통에 20 kg씩 나누어 담으면 몇 통이 되는지 구하세요.

코끼리는 세계에서 가장 큰 육상 동물로 풀, 뿌리, 열매 등을 먹습니다.

코끼리 코는 윗입술과 하나로 붙어 있지.

아프리카 코끼리의 큰 귀는 더울 때 부채처럼 흔들어서 바람을 일으켜.

답 _____ 통

융합 4 굴비 한 두름은 20마리입니다. 굴비 151마리는 몇 두름이고 남는 굴비는 몇 마리일까요?

두름은 순 우리말로 굴비 등의 물고기를 한 줄에 10마리씩 2줄로 엮은 것을 말해요.

답 _____ 두름, _____ 마리

쌀가루로 가래떡 960 cm를 만들었습니다. 가래떡을 30 cm씩 자르면 모두 몇 도막이 될까요?

 설날은 한해가 시작되는 음력 1월 1일로 가래떡을 잘라 떡국을 만들어 먹어요.

답 _____ 도막

 3주

특강

 수현이네 가족이 추석에 송편 564개를 빚었습니다. 한 봉지에 50개씩 나누어 담는다면 몇 봉지까지 담을 수 있고 남는 송편은 몇 개일까요?

추석은 가을의 한가운데 날이라는 뜻을 가지고 있으며 음력 8월 15일로 햅쌀로 송편을 빚어 먹어요.

답 _____ 봉지, _____ 개

창의 **7** 현주는 심부름을 가려고 합니다. 갈림길에서 나눗셈의 나머지를 따라가면 심부름 장소에 도착할 수 있습니다. 어디로 가야 하는지 쓰세요.

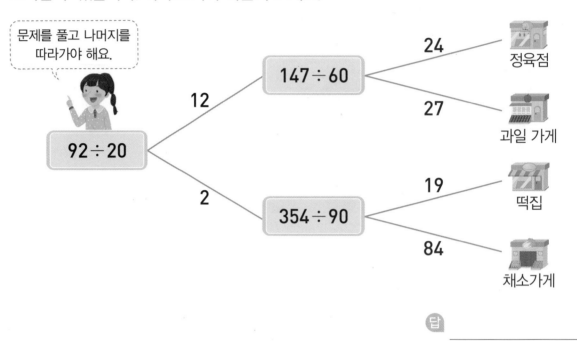

문제를 풀고 나머지를 따라가야 해요.

$92 \div 20$

12

$147 \div 60$

24 정육점

27 과일 가게

2

$354 \div 90$

19 떡집

84 채소가게

답 _____

코딩 **8** 블록명령에 따라 로봇이 도착할 때까지 지나간 길에 있는 두 수 중 큰 수를 작은 수로 나눈 몫을 구하세요.

▶
앞으로 2칸 가기 →
오른쪽으로 돌기 ↱
앞으로 3칸 가기 →
왼쪽으로 돌기 ↰
앞으로 2칸 가기 →

		720		
			80	
480		60		
	840			50

답 _____

창의 9 주영이의 일기를 읽고 ☐ 안에 알맞은 수를 써넣으세요.

○월 ○일 날씨: 맑음

아버지께서 친구들과 나눠 먹으라고 캐러멜 한 봉지를 주셨다.

캐러멜 봉지에는 캐러멜이 250개 들어 있었다. 내일 우리반 친구 30명과 함께 똑같이 나눠 먹으려고

계산해 보니 250÷30 = ☐ … ☐ 이 되었다.

한 명이 ☐ 개씩 나눠 먹으면 ☐ 개가 남는다.

남는 캐러멜도 내가 먹으면 나는 캐러멜을 ☐ 개 먹을 수 있겠다.^^

3주

특강

창의 10 상자에 0부터 9까지의 수가 적힌 공이 들어 있습니다. 정아가 꺼낸 공 3개로 세 자리 수를 만들고, 주혁이가 꺼낸 공 2개로 두 자리 수를 만들어 나눗셈을 계산해 보세요.

☐ ÷ ☐ = ☐ … ☐

이번에 배울 내용을 알아볼까요? ①

- **1일** 몫이 한 자리 수인 (두 자리 수)÷(두 자리 수)
- **2일** 몫이 한 자리 수인 (세 자리 수)÷(두 자리 수)
- **3일** 몫이 몇십인 (세 자리 수)÷(두 자리 수)
- **4일** 몫이 두 자리 수인 (세 자리 수)÷(두 자리 수)
- **5일** 곱셈식에서 □의 값 구하기

이번에 배울 내용을 알아볼까요? 2

4-1 **(두 자리 수)÷(몇십)**

엄마가 사탕 85개를 20일 동안 똑같이 나눠 먹으래.

하루에 4개씩 먹으면 5개가 남네.

헤헤~ 나머지 5개를 내가 먹으면 안 될까?

$$\begin{array}{r} 4 \\ 20 \overline{)85} \\ 80 \\ \hline 5 \end{array}$$

$85 \div 20 = 4 \cdots 5$의 계산 결과가 맞는지 확인해 보자.

나누는 수와 몫을 곱한 후 나머지를 더해서 나누어지는 수가 나오면 맞아요.
$20 \times 4 = 80$, $80 + 5 = 85$

🐻 계산해 보세요.

1-1

$$30 \overline{)63}$$

1-2

$$20 \overline{)91}$$

🐻 나눗셈의 몫과 나머지를 구하세요.

2-1

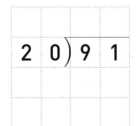

$87 \div 40$

몫: ☐, 나머지: ☐

2-2

$94 \div 30$

몫: ☐, 나머지: ☐

4-1 (세 자리 수)÷(몇십)

159÷30의 몫은 5, 나머지는 9야.

9는 30보다 작아. 이와 같이 나눗셈의 나머지는 나누는 수보다 작아야 해.

4주
1일

🐻 계산해 보세요.

3-1

$$20\overline{)107}$$

3-2

$$40\overline{)338}$$

🐻 나눗셈의 몫과 나머지를 구하세요.

4-1

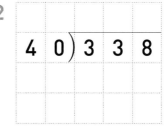

181÷30

몫: ☐ , 나머지: ☐

4-2

572÷90

몫: ☐ , 나머지: ☐

몫이 한 자리 수인 (두 자리 수)÷(두 자리 수) ①

똑똑한 하루 계산법

• 몫이 한 자리 수이고 나머지가 없는 (두 자리 수)÷(두 자리 수)

예 60÷12의 계산

$$12 \times 4 = 48$$
$$12 \times 5 = 60$$
$$12 \times 6 = 72$$

```
          5   ← 몫
  1 2 ) 6 0
        6 0   ── 12×5=60
        ───
          0
```

계산한 결과가 맞는지 확인해 봐요.

$$60 \div 12 = 5$$
$$\Rightarrow 12 \times 5 = 60$$
나누는 수   몫   나누어지는 수

○✗ 퀴즈

계산이 바르면 ○에, 틀리면 ✗에 ○표 하세요.

```
          4
  1 3 ) 5 2
        5 2
        ───
          0
```

○   ✗

정답 ○에 ○표

똑똑한 계산 연습

🐻 계산해 보세요.

① 1 7) 5 1

② 2 6) 5 2

③ 1 4) 8 4

④ 2 3) 4 6

⑤ 1 2) 4 8

⑥ 3 9) 7 8

⑦ 1 3) 6 5

⑧ 2 8) 8 4

⑨ 1 6) 9 6

⑩ 1 2) 8 4

⑪ 1 5) 6 0

⑫ 1 7) 8 5

4주
1일

1일 몫이 한 자리 수인 (두 자리 수)÷(두 자리 수) ②

똑똑한 하루 계산법

• 몫이 한 자리 수이고 나머지가 있는 (두 자리 수)÷(두 자리 수)

예) 78÷14의 계산

$$14 \times 4 = 56$$
$$14 \times 5 = 70$$
$$14 \times 6 = 84$$

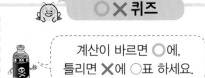

$$78 \div 14 = 5 \cdots 8$$

계산한 결과가 맞는지 확인하기

⇨ $14 \times 5 = 70$, $70 + 8 = 78$

○✕퀴즈

계산이 바르면 ○에, 틀리면 ✕에 ○표 하세요.

```
        2
  2 4 ) 7 9
        4 8
        3 1
```

○   ✕

똑똑한 계산 연습

 계산해 보세요.

① 2 3) 7 5

② 1 5) 7 1

③ 1 6) 6 8

④ 1 4) 5 9

⑤ 2 6) 8 4

⑥ 2 1) 9 6

⑦ 1 8) 9 5

⑧ 3 7) 8 7

⑨ 1 9) 6 5

⑩ 4 6) 9 8

⑪ 2 4) 9 3

⑫ 1 3) 9 3

4주 1일

1일 기초 집중 연습

📖 계산한 결과가 맞는지 확인하려고 합니다. ☐ 안에 알맞은 수를 써넣으세요.

1-1
$$96 \div 32 = 3$$

$$32 \times 3 = \boxed{}$$

1-2
$$84 \div 12 = 7$$

$$12 \times 7 = \boxed{}$$

1-3
$$76 \div 14 = 5 \cdots 6$$

$$14 \times \boxed{} = 70$$

$$70 + \boxed{} = \boxed{}$$

1-4
$$69 \div 28 = 2 \cdots 13$$

$$28 \times \boxed{} = \boxed{}$$

$$\boxed{} + 13 = \boxed{}$$

🐻 ☐ 안에 몫을 써넣고, ◯ 안에 나머지를 써넣으세요.

2-1
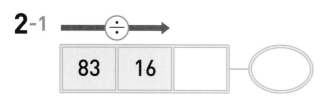

2-2
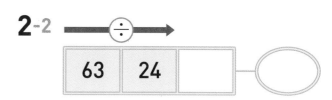

2-3
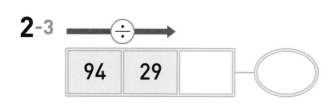

2-4
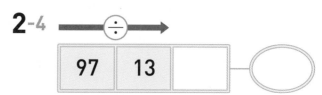

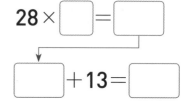

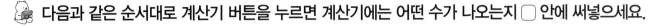

⏰ 제한 시간 10분

생활 속 계산

📖 다음과 같은 순서대로 계산기 버튼을 누르면 계산기에는 어떤 수가 나오는지 ☐ 안에 써넣으세요.

3-1  7 2 ÷ 1 2 = ☐

3-2 9 6 ÷ 2 4 = ☐

4 8 ÷ 1 6 = 을
누르면 3이 나옵니다.

3-3  9 1 ÷ 1 3 = ☐

4주
1일

문장 읽고 계산식 세우기

4-1
복숭아 82개를 한 상자에 15개씩 담아 포장할 때 포장하고 남은 복숭아는 몇 개?

식   82 ÷ 15 = ☐ … ☐

답 _____ 개

4-2
토마토 76개를 한 상자에 24개씩 담아 포장할 때 포장하고 남은 토마토는 몇 개?

식   76 ÷ ☐ = ☐ … ☐

답 _____ 개

똑똑한 하루 계산법

• 몫이 한 자리 수이고 나머지가 없는 (세 자리 수)÷(두 자리 수)

예) 140÷35의 계산

$35 \times 3 = 105$
$35 \times 4 = 140$
$35 \times 5 = 175$

$$\begin{array}{r} 4 \leftarrow 몫 \\ 35\overline{)140} \\ 140 \leftarrow 35 \times 4 = 140 \\ \hline 0 \end{array}$$

 계산한 결과가 맞는지 확인해 봐요.

$140 \div 35 = 4$
$\Rightarrow 35 \times 4 = 140$

○✕ 퀴즈

 계산이 바르면 ○에, 틀리면 ✕에 ○표 하세요.

$$\begin{array}{r} 6 \\ 25\overline{)175} \\ 150 \\ \hline 25 \end{array}$$

 ○   ✕

정답 ✕에 ○표

🐻 계산해 보세요.

① 37)111

② 28)168

③ 24)120

④ 16)112

⑤ 21)105

⑥ 46)138

⑦ 33)132

⑧ 52)364

⑨ 27)108

⑩ 83)166

⑪ 42)252

⑫ 39)312

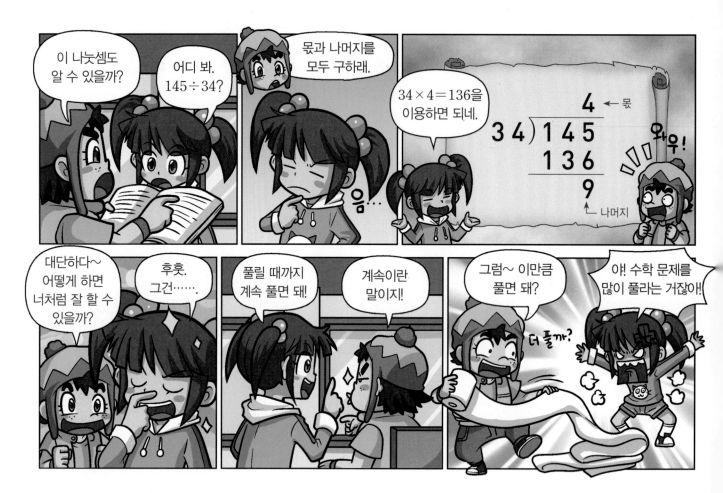

똑똑한 하루 계산법

• 몫이 한 자리 수이고 나머지가 있는 (세 자리 수)÷(두 자리 수)

예) 145÷34의 계산

$$34 \times 3 = 102$$
$$34 \times 4 = 136$$
$$34 \times 5 = 170$$

$$34 \overline{)145}$$ 몫 4
$$\underline{136}$$ ← $34 \times 4 = 136$
$$9$$ ← 나머지

$$145 \div 34 = 4 \cdots 9$$
계산한 결과가 맞는지 확인하기
⇨ $34 \times 4 = 136$, $136 + 9 = 145$

○✕ 퀴즈

계산이 바르면 ○에, 틀리면 ✕에 ○표 하세요.

$$31 \overline{)200}$$ 6
$$\underline{186}$$
$$14$$

정답 ○에 ○표

똑똑한 계산 연습

🐻 계산해 보세요.

① 72)2220

② 26)142

③ 45)278

④ 42)178

⑤ 23)146

⑥ 19)138

⑦ 36)131

⑧ 44)236

⑨ 51)440

⑩ 73)155

⑪ 56)406

⑫ 68)291

기초 집중 연습

🐻 계산한 결과가 맞는지 확인하려고 합니다. ☐ 안에 알맞은 수를 써넣으세요.

1-1
$$150 \div 25 = 6$$

$$25 \times 6 = \boxed{}$$

1-2
$$296 \div 37 = 8$$

$$37 \times 8 = \boxed{}$$

1-3
$$121 \div 23 = 5 \cdots 6$$

$$23 \times \boxed{} = 115$$

$$115 + \boxed{} = \boxed{}$$

1-4
$$120 \div 16 = 7 \cdots 8$$

$$16 \times \boxed{} = \boxed{}$$

$$\boxed{} + 8 = \boxed{}$$

🐻 ☐ 안에 몫을 써넣고, ◯ 안에 나머지를 써넣으세요.

2-1
$$183 \rightarrow \div 22 \rightarrow \boxed{} \cdots \bigcirc$$

2-2
$$109 \rightarrow \div 15 \rightarrow \boxed{} \cdots \bigcirc$$

2-3
$$285 \rightarrow \div 34 \rightarrow \boxed{} \cdots \bigcirc$$

2-4
$$133 \rightarrow \div 29 \rightarrow \boxed{} \cdots \bigcirc$$

생활 속 계산

털실을 각각 같은 길이로 나누려고 합니다. 몇 도막까지 만들 수 있고 남는 길이는 몇 cm인지 구하세요.

3-1

140 cm

한 도막의 길이:
25 cm

□도막, □cm

3-2

239 cm

한 도막의 길이:
38 cm

□도막, □cm

3-3

193 cm

한 도막의 길이:
27 cm

□도막, □cm

3-4

315 cm

한 도막의 길이:
42 cm

□도막, □cm

4주
2일

문장 읽고 계산식 세우기

4-1

공책 136권을 17명이 똑같이 나누어 가질 때 한 명이 가지는 공책은 몇 권?

식 136÷□=□(권)

4-2

연필 144자루를 24명이 똑같이 나누어 가질 때 한 명이 가지는 연필은 몇 자루?

식 □÷□=□(자루)

몫이 몇십인 (세 자리 수)÷(두 자리 수) ①

똑똑한 하루 계산법

- **몫이 몇십이고 나머지가 없는 (세 자리 수)÷(두 자리 수)**

예) 720÷36의 계산

$$36 \overline{)720}$$ 몫 20

720의 왼쪽 두 자리 수인 72를 36으로 먼저 나눠요.

$720÷36=20$
계산한 결과가 맞는지 확인하기
⇨ $36×20=720$

$$17 \overline{)680}$$

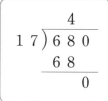

계산해 보세요.

① 16)480

② 35)700

③ 24)960

④ 27)540

⑤ 14)980

⑥ 17)850

⑦ 21)840

⑧ 31)930

⑨ 26)780

⑩ 39)780

⑪ 13)650

⑫ 19)760

똑똑한 하루 계산법

• **몫이 몇십이고 나머지가 있는 (세 자리 수)÷(두 자리 수)**

예 853÷14의 계산

$$\begin{array}{r} 6\,0 \\ 1\,4\,)\overline{8\,5\,3} \\ 8\,4 \\ \hline 1\,3 \end{array}$$

나누어지는 수의 왼쪽 두 자리 수가 나누는 수보다 크거나 같으면 몫은 두 자리 수예요.

853÷14=60 … 13
계산한 결과가 맞는지 확인하기
➡ 14×60=840, 840+13=853

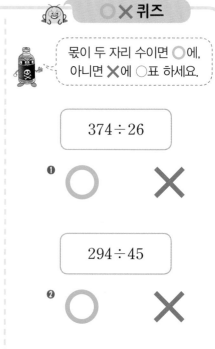

○✕ 퀴즈

몫이 두 자리 수이면 ○에, 아니면 ✕에 ○표 하세요.

374÷26

❶ ○   ✕

294÷45

❷ ○   ✕

정답 ❶ ○에 ○표   ❷ ✕에 ○표

계산해 보세요.

① 15) 6 0 4

② 21) 6 3 9

③ 42) 8 5 2

④ 32) 9 6 7

⑤ 14) 8 4 6

⑥ 27) 8 3 0

⑦ 58) 6 1 4

⑧ 34) 6 9 6

⑨ 25) 5 0 4

⑩ 12) 8 5 1

⑪ 23) 9 2 8

⑫ 17) 8 6 3

4주 3일

🐻 나눗셈의 몫과 나머지를 구하세요.

1-1
$$850 \div 21$$

몫: ☐ , 나머지: ☐

1-2
$$758 \div 25$$

몫: ☐ , 나머지: ☐

1-3
$$479 \div 23$$

몫: ☐ , 나머지: ☐

1-4
$$847 \div 14$$

몫: ☐ , 나머지: ☐

🐻 빈칸에 알맞은 수를 써넣으세요.

2-1

570 → ÷19 → ☐

2-2

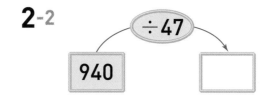

940 → ÷47 → ☐

2-3

520 → ÷13 → ☐

2-4

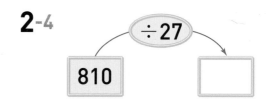

810 → ÷27 → ☐

생활 속 계산

🐻 채소를 같은 개수씩 상자에 담아 포장할 때 몇 상자까지 포장할 수 있는지 구하세요.

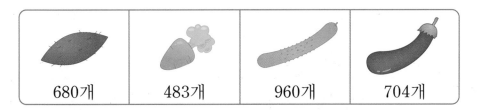

| 680개 | 483개 | 960개 | 704개 |

3-1 17개 ☐ 상자

3-2  24개 ☐ 상자

3-3 32개 ☐ 상자

3-4  14개 ☐ 상자

4주 3일

문장 읽고 계산식 세우기

4-1 철사 16 m가 640원일 때 철사 1 m 는 얼마?

식 640 ÷ ☐ = ☐ (원)

4-2 고무줄 45 m가 900원일 때 고무줄 1 m는 얼마?

식 ☐ ÷ ☐ = ☐ (원)

4-3 클립 25개가 500원일 때 클립 한 개 는 얼마?

식  ☐ ÷ ☐ = ☐ (원)

4-4 옷핀 12개가 720원일 때 옷핀 한 개 는 얼마?

식  ☐ ÷ ☐ = ☐ (원)

몫이 두 자리 수인 (세 자리 수)÷(두 자리 수) ①

똑똑한 하루 계산법

- **몫이 두 자리 수이고 나머지가 없는 (세 자리 수)÷(두 자리 수)**

예) 775÷25의 계산

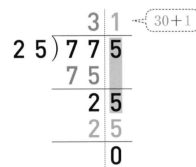

30+1

몫의 십의 자리를 곱하여 빼고 남은 수를 25로 나눠서 구해요.

775÷25=31
계산한 결과가 맞는지 확인하기
⇨ 25×31=775

○× 퀴즈

계산이 바르면 ○에, 틀리면 ✗에 ○표 하세요.

```
        1 2
3 6 ) 4 3 2
      3 6
      7 2
      7 2
        0
```

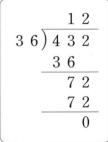

○   ✗

제한 시간 4분

🐻 계산해 보세요.

① 1 4) 4 4 8

② 2 3) 8 0 5

③ 4 8) 7 6 8

④ 2 7) 5 9 4

⑤ 3 5) 5 2 5

⑥ 4 2) 9 6 6

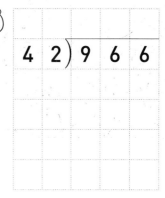

⑦ 3 3) 7 9 2

⑧ 1 7) 7 1 4

⑨ 5 6) 6 7 2

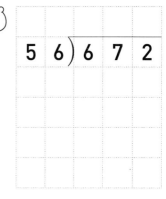

똑똑한 하루 계산법

• 몫이 두 자리 수이고 나머지가 있는 (세 자리 수)÷(두 자리 수)

⑩ 685÷27의 계산

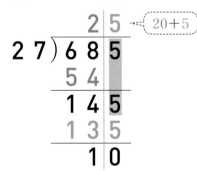

나머지는 나누는 수보다 작아야 해요.

685÷27=25 … 10
계산한 결과가 맞는지 확인하기
⇨ 27×25=675, 675+10=685

○✕ 퀴즈

계산이 바르면 ○에, 틀리면 ✕에 ○표 하세요.

```
        1 6
 2 3 ) 3 9 6
        2 3
      1 6 6
      1 3 8
        2 8
```

정답 ✕에 ○표

똑똑한 계산 연습

🐻 계산해 보세요.

① 2 3) 7 8 5

② 1 4) 7 3 4

③ 3 7) 7 9 1

④ 1 6) 7 5 6

⑤ 2 9) 9 4 0

⑥ 2 5) 7 0 5

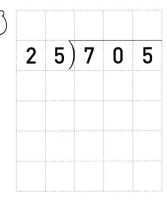

⑦ 4 4) 6 8 7

⑧ 3 8) 8 8 9

⑨ 1 3) 9 0 5

4주
4일

4^일

기초 집중 연습

 □ 안에 알맞은 수를 써넣으세요.

1-1

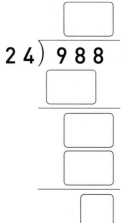

1-2

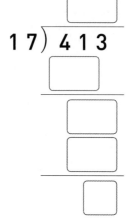

1-3

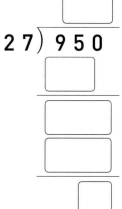

빈칸에 알맞은 수를 써넣으세요.

2-1

| 910 | ÷35 | |

2-2

| 728 | ÷14 | |

2-3

| 464 | ÷29 | |

2-4

| 752 | ÷16 | |

2-5

| 969 | ÷19 | |

2-6

| 812 | ÷58 | |

생활 속 계산

🐻 주어진 교통수단으로 이동한 시간과 거리입니다. 일정한 빠르기로 갈 때 1분 동안 이동한 거리는 몇 m인지 구하세요.

3-1 15분에 930 m

$$930 \div 15 = \boxed{} \text{ (m)}$$

3-2  16분에 848 m

$$848 \div \boxed{} = \boxed{} \text{ (m)}$$

3-3  21분에 798 m

$$\boxed{} \div \boxed{} = \boxed{} \text{ (m)}$$

3-4 13분에 962 m

$$\boxed{} \div \boxed{} = \boxed{} \text{ (m)}$$

문장 읽고 계산식 세우기

4-1 학생 493명, 버스 한 대에 23명씩 탈 수 있을 때 모두 타려면 필요한 버스는 몇 대?

식 $493 \div 23 = \boxed{} \cdots \boxed{}$

답 _____ 대

4-2 학생 548명, 배 한 척에 45명씩 탈 수 있을 때 모두 타려면 필요한 배는 몇 척?

식 $548 \div \boxed{} = \boxed{} \cdots \boxed{}$

답 _____ 척

너 들었어? 우리 학교에서 수학 퀴즈 대회를 연대!

정말?

그렇다면 우리 반 대표로 내가 나가야겠군.

무슨 소리! 내가 대표로 나갈 거야!

야! 넌 우리 반에서 수학 꼴찌잖아!

흠, 꼴찌라고 나가지 말란 법 없잖아.

우리 반 망신시키지 말고 넌 가만히 있어.

웃기지 마! 너 32×□=192에서 □의 값 구할 수 있어?

첫!

그… 그건…… 너도 모르잖아!

흥! 곱셈과 나눗셈의 관계를 이용하면 된다고.

$32 \times \square = 192$
$\Rightarrow 192 \div 32 = \square, \square = 6$

어때!

에

흠!

똑똑한 하루 계산법

- ● × □ = ▲ 에서 □의 값 구하기

$$32 \times \square = 192$$

① 곱셈식을 나눗셈식으로 바꿉니다.

$$32 \times \square = 192$$

$$192 \div 32 = \square$$

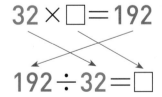

참고

● × □ = ▲

▲ ÷ ● = □

② 나눗셈을 하여 □의 값을 구합니다.

$192 \div 32 = \square \Rightarrow \square = 6$

 ○✕ 퀴즈

곱셈식을 나눗셈식으로 바르게 고쳤으면 ○에, 잘못 고쳤으면 ✕에 ○표 하세요.

$26 \times \square = 234$
$\Rightarrow 26 \div 234 = \square$

 ○   ✕

정답 ✕에 ○표

똑똑한 계산 연습

🐻 곱셈식에서 ●의 값을 구하려고 합니다. ☐ 안에 알맞은 수를 써넣으세요.

① $23 \times ● = 184$

$184 \div 23 = ●$, $● = \boxed{}$

② $17 \times ● = 187$

$187 \div 17 = ●$, $● = \boxed{}$

③ $19 \times ● = 760$

$760 \div \boxed{} = ●$, $● = \boxed{}$

④ $36 \times ● = 864$

$864 \div \boxed{} = ●$, $● = \boxed{}$

⑤ $29 \times ● = 870$

$\boxed{} \div 29 = ●$, $● = \boxed{}$

⑥ $74 \times ● = 518$

$\boxed{} \div 74 = ●$, $● = \boxed{}$

⑦ $21 \times ● = 798$

$\boxed{} \div \boxed{} = ●$,

$● = \boxed{}$

⑧ $35 \times ● = 490$

$\boxed{} \div \boxed{} = ●$,

$● = \boxed{}$

4주

5일

곱셈식에서 □의 값 구하기 ②

똑똑한 하루 계산법

• □ × ● = ▲ 에서 □의 값 구하기

$$□ × 24 = 408$$

① 곱셈식을 나눗셈식으로 바꿉니다.

$$□ × 24 = 408$$

$$408 ÷ 24 = □$$

참고

$$□ × ● = ▲$$
$$▲ ÷ ● = □$$

② 나눗셈을 하여 □의 값을 구합니다.

$$408 ÷ 24 = □ \Rightarrow □ = 17$$

 ○× 퀴즈

곱셈식을 나눗셈식으로
바르게 고쳤으면 ○에,
잘못 고쳤으면 ✗에
○표 하세요.

$$□ × 31 = 217$$
$$\Rightarrow 217 ÷ 31 = □$$

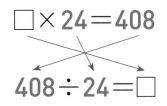 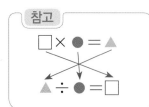

정답 ○에 ○표

🐻 곱셈식에서 ●의 값을 구하려고 합니다. ☐ 안에 알맞은 수를 써넣으세요.

① $● × 15 = 750$

$750 ÷ 15 = ●$, $● = \boxed{}$

② $● × 27 = 864$

$864 ÷ 27 = ●$, $● = \boxed{}$

③ $● × 18 = 738$

$738 ÷ \boxed{} = ●$, $● = \boxed{}$

④ $● × 34 = 680$

$680 ÷ \boxed{} = ●$, $● = \boxed{}$

⑤ $● × 46 = 690$

$\boxed{} ÷ 46 = ●$, $● = \boxed{}$

⑥ $● × 24 = 720$

$\boxed{} ÷ 24 = ●$, $● = \boxed{}$

⑦ $● × 53 = 689$

$\boxed{} ÷ \boxed{} = ●$,

$● = \boxed{}$

⑧ $● × 63 = 756$

$\boxed{} ÷ \boxed{} = ●$,

$● = \boxed{}$

 ☐ 안에 알맞은 수를 써넣으세요.

1-1 $38 \times \boxed{} = 570$

1-2 $\boxed{} \times 14 = 700$

1-3 $16 \times \boxed{} = 416$

1-4 $\boxed{} \times 27 = 837$

 ☐ 안에 알맞은 수를 써넣으세요.

2-1 19

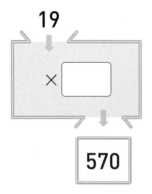

570

2-2 48

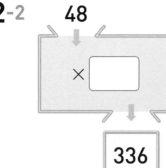

336

2-3

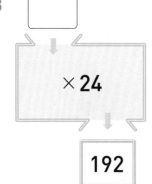

×24

192

2-4

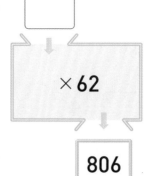

×62

806

⏰ 제한 시간 10분

생활 속 계산

🐻 길이가 같은 학용품을 길게 이어 붙였습니다. ▨에 알맞은 수를 구하세요.

3-1

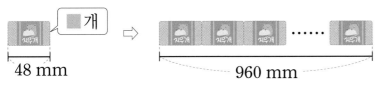

$$48 \times ▨ = 960 \Rightarrow ▨ = \boxed{}$$

3-2

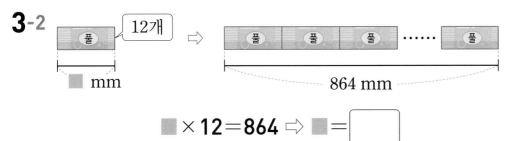

$$▨ \times 12 = 864 \Rightarrow ▨ = \boxed{}$$

4주
5일

문장 읽고 계산식 세우기

🐻 어떤 수를 □라 하여 곱셈식을 쓰고, 어떤 수를 구하세요.

4-1

13과 어떤 수의 곱은 78입니다.

식 _____

답 _____

4-2

27과 어떤 수의 곱은 972입니다.

식 _____

답 _____

4-3

어떤 수와 25의 곱은 500입니다.

식 _____

답 _____

4-4

어떤 수와 16의 곱은 384입니다.

식 _____

답 _____

1 ☐ 안에 알맞은 수를 써넣으세요.

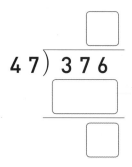

2 계산해 보세요.

(1)　15$\overline{)52}$　　(2)　29$\overline{)418}$

3 나눗셈의 몫과 나머지를 구하세요.

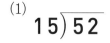
$90 \div 13$

몫: ☐ , 나머지: ☐

4 ☐ 안에 몫을 써넣고, ◯ 안에 나머지를 써넣으세요.

(1)

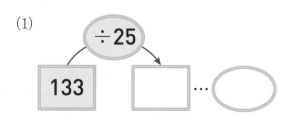

(2)

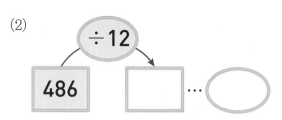

5 큰 수를 작은 수로 나눈 몫을 빈칸에 써넣으세요.

(1)

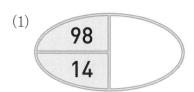

(2)

6 ☐ 안에 알맞은 수를 써넣으세요.

(1) $31 \times \boxed{} = 930$

(2) $\boxed{} \times 24 = 840$

7 나머지를 찾아 선으로 이어 보세요.

$925 \div 23$ ·

· 5

· 9

$530 \div 47$ ·

· 13

8 몫의 크기를 비교하여 ○ 안에 >, =, < 를 알맞게 써넣으세요.

$119 \div 17$ ○ $170 \div 28$

9 기차가 일정한 빠르기로 갈 때 1초 동안 이동한 거리는 몇 m인지 구하세요.

(1)  17초에 901 m

$901 \div \boxed{} = \boxed{}$ (m)

(2) 11초에 682 m

$\boxed{} \div \boxed{} = \boxed{}$ (m)

10 어떤 수를 구하세요.

(1) 29와 어떤 수의 곱은 609입니다.

(   )

(2) 어떤 수와 19의 곱은 76입니다.

(   )

 제한 시간 안에 정확하게
모두 풀었다면 여러분은 진정한 **계산왕!**

특강 창의·융합·코딩

몇 쪽을 읽어야 할까?

창의 1 병호는 동화책을 읽고 있습니다.

 병호는 동화책 240쪽을 매일 36쪽씩 읽으려고 해.
그럼 마지막 날에는 몇 쪽을 읽어야 하지?

$$240 \div 36 = \boxed{} \cdots \boxed{}$$

병호는 동화책을 36쪽씩 $\boxed{}$ 일 동안 읽고

마지막 날에는 $\boxed{}$ 쪽을 읽어야 합니다.

▶ 정답 및 풀이 24쪽

비밀번호를 맞혀라!

 사무실 금고의 비밀번호를 알아내려고 합니다.

힌트 1
91 ÷ 13

힌트 3
324 ÷ 54

힌트 2
69 ÷ 23

 힌트 1, 2, 3 의 몫을 이용하여 금고의 비밀번호를 찾아봐요.

힌트 1

$$13\overline{)91}$$

힌트 2

$$23\overline{)69}$$

힌트 3

$$54\overline{)324}$$

금고의 비밀번호는 [1] [2] [3] 입니다.

융합 3 어느 승강기의 탑승 기준입니다. 무게가 같은 어른 기준으로 15명까지 탈 수 있을 때 기준인 어른 1명은 몇 kg인지 구하세요.

승객용

탑승 인원: **15**명
탑승 무게: **960** kg

안전을 위해 탑승 기준을 꼭 지키도록 해요.

답 _____ kg

융합 4 축구는 한 팀에 11명의 선수가 있습니다. 학생 86명이 축구를 하기 위해 팀을 만들려고 합니다. 모두 몇 팀을 만들 수 있고 남는 사람은 몇 명일까요?

축구는 골키퍼를 포함하여 11명의 선수가 한 팀이에요.

답 _____ 팀, _____ 명

밀가루 55 g으로 도넛 1개를 만들 수 있습니다. 밀가루 800 g으로 도넛을 몇 개까지 만들 수 있을까요?

답 _____ 개

4주
특강

 한지에 적힌 곱셈식의 일부가 얼룩으로 지워졌습니다. 지워진 수는 얼마인지 구하세요.

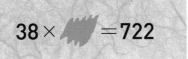

38 × = 722

한지는 닥나무 껍질을 이용하여 우리 고유의 방법으로 만든 종이예요.

답 _____

특강 창의·융합·코딩

 다음은 한자로 숫자를 나타낸 것입니다. 보기 와 같은 방법으로 수를 나타낼 때 몫과 나머지를 구하세요.

1	2	3	4	5	6	7	8	9	10	100
一	二	三	四	五	六	七	八	九	十	百

보기

六十二 ⇨ 62, 二百三十八 ⇨ 238

四百九十五 ÷ 二十三 = ☐ … ☐

용합8 간식의 칼로리를 나타낸 것입니다. 동규는 15일 동안 한 종류의 간식을 매일 1개씩 먹었습니다. 섭취한 칼로리가 975 kcal일 때 동규가 먹은 간식은 무엇일까요?

↑ 열량을 나타내는 단위로 '킬로칼로리'라고 읽습니다.

쿠키	얼음과자	당근 주스	사탕
65 kcal	74 kcal	54 kcal	33 kcal

답 _____

코딩 9 어떤 수의 계산 과정을 나타낸 순서도입니다. 시작 수가 84일 때 출력된 수를 구하세요.

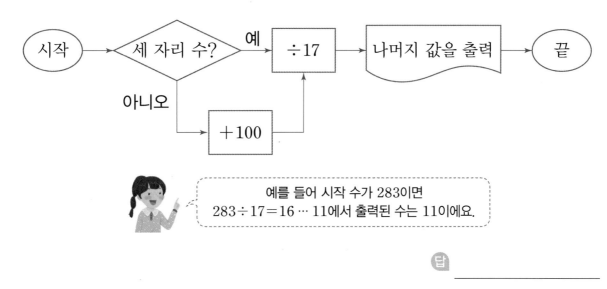

예를 들어 시작 수가 283이면
283÷17=16 … 11에서 출력된 수는 11이에요.

답 _____

4주
특강

융합 10 일정한 빠르기로 달리는 두 동물 중 더 빨리 달리는 동물은 무엇이고, 1초에 몇 m를 달리는지 구하세요.

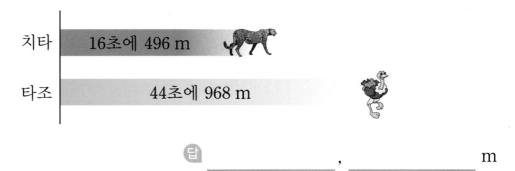

치타 16초에 496 m

타조 44초에 968 m

답 _____ , _____ m

초등 수학 기초 학습 능력 강화 교재

2021 신간

하루하루 쌓이는 수학 자신감!

똑똑한 하루
수학 시리즈

초등 수학 첫 걸음

수학 공부, 절대 지루하면 안 되니까~
하루 10분 학습 커리큘럼으로
쉽고 재미있게 수학과 친해지기!

학습 영양 밸런스

〈수학〉은 물론 〈계산〉, 〈도형〉, 〈사고력〉편까지
초등 수학 전 영역을 커버하는 맞춤형 교재로
편식은 NO! 완벽한 수학 영양 밸런스!

창의·사고력 확장

초등학생에게 꼭 필요한 수학 지식과
창의·융합·사고력 확장을 위한
재미있는 문제 구성으로 힘찬 워밍업!

우리 아이 공부 습관 프로젝트!

하루 계산
(총 6단계, 12권)

하루 도형
(총 6단계, 6권)

하루 수학 (총 6단계, 12권)

하루 사고력
(총 6단계, 12권)

정답 및 풀이
포인트 3가지

▶ 혼자서도 이해할 수 있는 문제 풀이

▶ 자세한 풀이 제시

▶ 참고·주의 등 풍부한 보충 설명

1주 · 큰 수

6~7쪽 이번에 배울 내용을 알아볼까요? ②

1-1 6000	**1-2** 3000
1-3 7326	**1-4** 5298
2-1 <	**2-2** >
2-3 >	**2-4** >
2-5 <	**2-6** <

1-1 1000이 6개 ⇨ 6000

1-2 1000이 3개 ⇨ 3000

1-3 7000＋300＋20＋6＝7326

1-4 5000＋200＋90＋8＝5298

2-1 2047 < 2109
　　　└ 0<1 ┘

2-2 7286 > 7268
　　　└ 8>6 ┘

2-3 5640 > 4907
　　　└ 5>4 ┘

2-4 6844 > 6842
　　　　　└ 4>2 ┘

9쪽 똑똑한 계산 연습

① 칠만
② 사만
③ 이만 칠천삼백사십칠
④ 육만 삼천팔백삼십이
⑤ 오만 칠십구
⑥ 삼만 팔천오백육
⑦ 28745
⑧ 60489
⑨ 15748
⑩ 72063

② 4│0000 ⇨ 사만
　만　　일

⑤ 5│0079 ⇨ 오만 칠십구
　만　　일

⑧ 60000＋400＋80＋9＝60489

⑨ 10000＋5000＋700＋40＋8＝15748

11쪽 똑똑한 계산 연습

① 9, 90000 ; 6, 6000
② 8, 8000 ; 2, 20
③ 8, 80000 ; 2, 200
④ 3, 3000 ; 9, 90
⑤ 2, 200 ; 6, 6
⑥ 5, 50000 ; 1, 100

12~13쪽 기초 집중 연습

1-1 96712	**1-2** 68025
1-3 82204	**1-4** 30091
1-5 72256	**1-6** 59125
2-1 3000	**2-2** 70000
2-3 4000	**2-4** 700
3-1 40350	**3-2** 35170
3-3 23220	**3-4** 14240
4-1 23995	**4-2** 91604

1-5 칠만│이천이백오십육 ⇨ 72256
　　 7　　　2256

1-6 오만│구천백이십오 ⇨ 59125
　　 5　　　9125

2-1 ┌→ 천의 자리 숫자, 3000
　　6│3247
　　만　　일

2-2 ┌→ 만의 자리 숫자, 70000
　　7│4089
　　만　　일

2-3 ┌→ 천의 자리 숫자, 4000
　　2│4597
　　만　　일

3-1 10000원짜리 지폐 4장 ⇨ 40000
　　　100원짜리 동전 3개 ⇨ 　300
　　　10원짜리 동전 5개 ⇨ 　 50
　　　　　　　　　　　　　　40350

3-2 10000원짜리 지폐 3장 ⇨ 30000
1000원짜리 지폐 5장 ⇨   5000
100원짜리 동전 1개 ⇨   100
10원짜리 동전 7개 ⇨   70
35170

3-4 10000원짜리 지폐 1장 ⇨ 10000
1000원짜리 지폐 4장 ⇨   4000
100원짜리 동전 2개 ⇨   200
10원짜리 동전 4개 ⇨   40
14240

4-1 20000+3000+900+90+5=23995

4-2 90000+1000+600+4=91604

15쪽	똑똑한 계산 연습

① 팔십만
② 삼십만 오천육백칠십삼
③ 삼백칠십오만
④ 팔백사십오만 육천이백사
⑤ 오천팔백삼십사만 오십구
⑥ 삼천사백팔십사만 삼천칠백오십팔
⑦ 290713   ⑧ 609803
⑨ 916320   ⑩ 831841
⑪ 2009152   ⑫ 5901422

② 30 | 5673 ⇨ 30만 5673
　만　일 ⇨ 삼십만 오천육백칠십삼

③ 375 | 0000 ⇨ 375만
　만　일 ⇨ 삼백칠십오만

④ 845 | 6204 ⇨ 845만 6204
　만　일 ⇨ 팔백사십오만 육천이백사

⑤ 5834 | 0059 ⇨ 5834만 59
　만　일 ⇨ 오천팔백삼십사만 오십구

⑥ 3484 | 3758 ⇨ 3484만 3758
　만　일 ⇨ 삼천사백팔십사만 삼천칠백오십팔

⑦ 29만 713 ⇨ 290713

⑧ 60만 9803 ⇨ 609803

⑨ 91만 6320 ⇨ 916320

⑩ 83만 1841 ⇨ 831841

⑪ 200만 9152 ⇨ 2009152

⑫ 590만 1422 ⇨ 5901422

17쪽	똑똑한 계산 연습

① 3   ② 7   ③ 3
④ 0   ⑤ 5   ⑥ 7
⑦ 500000 또는 50만
⑧ 2000000 또는 200만
⑨ 6000000 또는 600만
⑩ 70000000 또는 7000만
⑪ 50000000 또는 5000만
⑫ 800000 또는 80만

⑤ 6536 | 4046   ⑥ 7905 | 4054
　만　일   만　일
　↳ 백만의 자리 숫자   ↳ 천만의 자리 숫자

⑦ 숫자 5는 십만의 자리 숫자이므로 500000을 나타냅니다.

⑧ 숫자 2는 백만의 자리 숫자이므로 2000000을 나타냅니다.

⑨ 숫자 6은 백만의 자리 숫자이므로 6000000을 나타냅니다.

⑩ 숫자 7은 천만의 자리 숫자이므로 70000000을 나타냅니다.

⑪ 숫자 5는 천만의 자리 숫자이므로 50000000을 나타냅니다.

⑫ 숫자 8은 십만의 자리 숫자이므로 800000을 나타냅니다.

기초 집중 연습

1-1 250000　　　　　**1-2** 3000000, 삼백만

1-3 4076만, 사천칠십육만

2-1 7, 5 ; 20000000, 400000

2-2 9, 4 ; 8000000, 50000

3-1 4250000　　　　　**3-2** 7030000

3-3 30670000　　　　**3-4** 28370000

4-1 500　　　　　　　**4-2** 80

4-1 10000이 100개이면 100만입니다.
　　500만 ⇨ 10000이 500개인 수

4-2 10000이 10개이면 10만입니다.
　　80만 ⇨ 10000이 80개인 수

똑똑한 계산 연습

① 칠백오십억
② 삼조 오백사십오억
③ 칠천사백팔십오억 오천만
④ 팔백사십오조 오백육십이억
⑤ 삼십삼조 사천팔백사십삼억 칠천만
⑥ 사천팔십사조 칠십사억 육천만
⑦ 145227100000　　⑧ 396480630000
⑨ 85634100200000
⑩ 208024785000000
⑪ 5891004450000000
⑫ 5900300070000

똑똑한 계산 연습

① 4　　　　② 1　　　　③ 5
④ 8　　　　⑤ 4　　　　⑥ 3
⑦ 7000000000 또는 70억
⑧ 300000000000 또는 3000억
⑨ 8000000000000 또는 8조
⑩ 20000000000000 또는 20조
⑪ 90000000000 또는 900억
⑫ 1000000000000000 또는 1000조

---

④ 86│4354│9335│4540│
　　조　　억　　만　　일
　→ 십조의 자리 숫자

⑥ 4364│5520│5486│6455│
　　조　　억　　만　　일
　→ 백조의 자리 숫자

⑦ 5471│4006│4500│
　　억　　만　　일
　→ 십억의 자리 숫자, 7000000000

⑧ 3670│0239│6298│
　　억　　만　　일
　→ 천억의 자리 숫자, 300000000000

기초 집중 연습

1-1 16730520000　　**1-2** 154047530000

1-3 3076013000000　**2-1** ㉠

2-2 ㉢　　　　　　　**2-3** ㉡

2-4 ㉠　　　　　　　**3-1** 1439320000

3-2 331000000　　　**3-3** 1380000000

4-1 23000000000

4-2 1302000000000000

4-3 314520540000　　**4-4** 97150000000000

2-1 ㉠ 6억　㉡ 6000억　㉢ 6000억

2-2 ㉠ 5억　㉡ 5억　㉢ 50억

2-3 ㉠ 7조　㉡ 7000억　㉢ 7조

2-4 ㉠ 6조　㉡ 6000조　㉢ 6000조

4-1 억이 230개 ⇨ 230억

4-2 조가 1302개 ⇨ 1302조

4-3 억이 3145개, 만이 2054개
　　⇨ 3145억 2054만

4-4 조가 97개, 억이 1500개
　　⇨ 97조 1500억

정답 풀이

27쪽 똑똑한 계산 연습

① 100만　② 10만
③ 1000만　④ 81200
⑤ 500만, 600만　⑥ 9250만, 1억 250만

② 십만의 자리 숫자가 1씩 커지므로 10만씩 뛰어 센 것입니다.

③ 천만의 자리 숫자가 1씩 커지므로 1000만씩 뛰어 센 것입니다.

⑤ 백만의 자리 숫자가 1씩 커지므로 100만씩 뛰어 센 것입니다.

⑥ 천만의 자리 숫자가 1씩 커지므로 1000만씩 뛰어 센 것입니다.

29쪽 똑똑한 계산 연습

① 1000억　② 10조
③ 1조　④ 815억, 915억
⑤ 4482억, 4502억　⑥ 5428조, 6428조

① 천억의 자리 숫자가 1씩 커지므로 1000억씩 뛰어 센 것입니다.

② 십조의 자리 숫자가 1씩 커지므로 10조씩 뛰어 센 것입니다.

③ 조의 자리 숫자가 1씩 커지므로 1조씩 뛰어 센 것입니다.

④ 백억의 자리 숫자가 1씩 커지므로 100억씩 뛰어 센 것입니다.

⑤ 십억의 자리 숫자가 1씩 커지므로 10억씩 뛰어 센 것입니다.

⑥ 천조의 자리 숫자가 1씩 커지므로 1000조씩 뛰어 센 것입니다.

30~31쪽 기초 집중 연습

1-1 1944만, 2044만, 2144만, 2244만
1-2 6246억, 6248억, 6250억, 6252억
2-1

			878600	↑
		768600	778600	10만씩 뛰어 세기
	658600	668600	678600	
548600	558600	568600	578600	

1만씩 뛰어 세기 →

2-2

			5279조	↑
		4269조	4279조	1000조씩 뛰어 세기
	3259조	3269조	3279조	
2249조	2259조	2269조	2279조	

10조씩 뛰어 세기 →

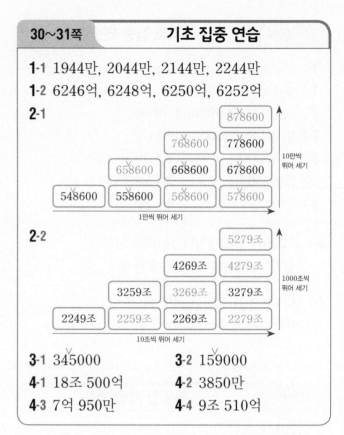

3-1 345000　**3-2** 159000
4-1 18조 500억　**4-2** 3850만
4-3 7억 950만　**4-4** 9조 510억

1-1 백만의 자리 숫자가 1씩 커지도록 뛰어 셉니다.

1-2 억의 자리 숫자가 2씩 커지도록 뛰어 셉니다.

2-1 1만씩 뛰어 세기는 만의 자리 숫자가 1씩 커지고, 10만씩 뛰어 세기는 십만의 자리 숫자가 1씩 커집니다.

2-2 10조씩 뛰어 세기는 십조의 자리 숫자가 1씩 커지고, 1000조씩 뛰어 세기는 천조의 자리 숫자가 1씩 커집니다.

3-1 295000 − 305000 − 315000 − 325000 − 335000 − 345000

3-2 79000 − 99000 − 119000 − 139000 − 159000

4-1 10조 500억 − 12조 500억 − 14조 500억 − 16조 500억 − 18조 500억

4-3 7억 150만 − 7억 350만 − 7억 550만 − 7억 750만 − 7억 950만

4-4 9조 10억 − 9조 110억 − 9조 210억 − 9조 310억 − 9조 410억 − 9조 510억

33쪽 똑똑한 계산 연습

① > ② < ③ <
④ > ⑤ > ⑥ >
⑦ < ⑧ > ⑨ >
⑩ >

🐻 110924520000 > 10925420000
(12자리 수)　　　　(11자리 수)

🐻 29846243500011 > 4352100000000
(14자리 수)　　　　(13자리 수)

🐻 630000070200509 > 56000709027624
(15자리 수)　　　　(14자리 수)

35쪽 똑똑한 계산 연습

① < ② < ③ >
④ < ⑤ > ⑥ <
⑦ < ⑧ > ⑨ >
⑩ >

① 125766 ⟨<⟩ 217650
└── 1<2 ──┘

② 526564 ⟨<⟩ 535664
└── 2<3 ──┘

③ 6452054 ⟨>⟩ 6432054
└── 5>3 ──┘

④ 2465045 ⟨<⟩ 2466450
└── 5<6 ──┘

⑤ 91만 5702 ⇨ 915702
915702 > 876051
└── 9>8 ──┘

⑥ 3조 7003억 < 3조 7030억
└── 0<3 ──┘

⑦ 1678090000 ⇨ 16억 7809만
15억 8712만 < 16억 7809만
└── 5<6 ──┘

⑧ 41123495812754 > 41120495987645
└──── 3>0 ────┘

⑨ 823500000000000 > 813930000000000
└──── 2>1 ────┘

36~37쪽 기초 집중 연습

1-1 ㉠　　1-2 ㉡　　1-3 ㉡
1-4 ㉠　　2-1 >　　2-2 <
2-3 <　　3-1 <　　3-2 <
3-3 >　　3-4 <　　4-1 냉장고
4-2 대왕고래

1-1 6245800 > 6217890
└── 4>1 ──┘

1-2 205억 2154만 < 277억 2192만
└── 0<7 ──┘

1-3 3220000000 < 12794016005
(10자리 수)　　　(11자리 수)

1-4 1450000 > 415000
(7자리 수)　(6자리 수)

2-1 36875000060000 > 5001090000110
(14자리 수)　　　　(13자리 수)

2-2 11300215 < 111130215
(8자리 수)　　(9자리 수)

2-3 2200390000 < 4961000000
└── 2<4 ──┘

3-1 792000000 < 939000000
└── 7<9 ──┘

3-4 792000000 < 1006400000
(9자리 수)　　(10자리 수)

4-1 1380000 < 1649000이므로 냉장고의 가격이 더
└── 3<6 ──┘
높습니다.

4-2 17만 ⇨ 170000
170000 > 36000이므로 대왕고래가 더 무겁습
(6자리 수) (5자리 수)
니다.

❶ 칠천백사십육만 오백칠십삼

❷ 49023006540000

❸ 1260000, 백이십육만

❹ (1) 80000 또는 8만   (2) 400000 또는 40만

❺
	숫자	나타내는 값
천만의 자리	8	80000000
백만의 자리	1	1000000
십만의 자리	4	400000

❻ 4507600000

❼ 200억씩

❽ (위부터) 1억 88만, 1억 90만, 1억 94만

❾ (1) >   (2) <

❿ ㉡

❶ 7146 │ 0573 ⇨ 칠천백사십육만 오백칠십삼
　　만 │ 일

❷ 사십구조 이백삼십억 육백오십사만
　　49조　　　230억　　　654만
　49023006540000

❹ (1) ➤ 만의 자리 숫자, 80000
　　58 │ 0432
　　만 │ 일
　(2) ➤ 십만의 자리 숫자, 400000
　　146 │ 0762
　　만 │ 일

❻ 45 │ 0760 │ 0000 ⇨ 4507600000
　억 │ 만 │ 일

❼ 백억의 자리 숫자가 2씩 커지므로 200억씩 뛰어 센 것입니다.

❽ 만의 자리 숫자가 2씩 커지므로 2만씩 뛰어 센 것입니다.

❾ (1) 5784562766 > 564529980
　　　(10자리 수)　　(9자리 수)
　(2) 2409880000 < 2429880000
　　　　　　0 < 2

창의❶ 6, 3, 2, 2 ; 6, 3, 2, 2

융합❷ >, 7, 6 ; 경복궁

융합❸ 오백이십만 삼천사백사십,
　　육백십사만 칠천오백십육

융합❹ 2075, 2095, 2105

융합❺ 팔십이조 오천억

창의❻
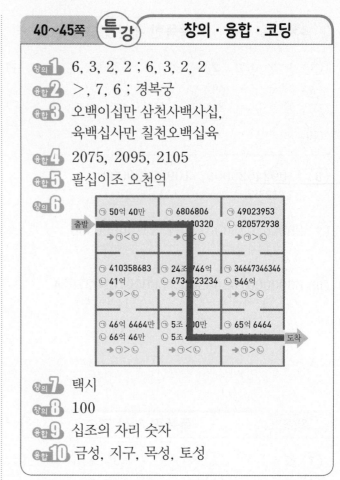

창의❼ 택시

창의❽ 100

융합❾ 십조의 자리 숫자

융합❿ 금성, 지구, 목성, 토성

융합❹ 십억의 자리 숫자가 1씩 커지도록 뛰어 셉니다.
　2065억 − ⎡2075⎤억 − 2085억 − ⎡2095⎤억
　− ⎡2105⎤억

창의❼ 비행기　기차　비행기　택시
　│　│　│　│
　60900 > 57800, 60900 < 362700
　└ 6 > 5 ┘　　(5자리 수)　(6자리 수)

창의❽ 9월 15일의 잔액은 1억 원입니다. 따라서 백만 원짜리 수표는 100장입니다.

융합❾ 100광년은 1광년의 100배이므로 100광년은 9조 4600억 km의 100배입니다.
100광년은 946조 km이므로 숫자 4는 십조의 자리 숫자입니다.

융합❿ 지구: 1억 4960만 km,
토성: 14억 2698만 km
⇨ 1억 821만(금성) < 1억 4960만(지구) <
7억 7800만(목성) < 14억 2698만(토성)

2주 · 곱셈

48~49쪽 이번에 배울 내용을 알아볼까요? ②

1-1 248   **1**-2 981
2-1 693   **2**-2 872
3-1 768   **3**-2 518
4-1 2562   **4**-2 2324

3-1
```
    2 4
  × 3 2
    4 8
  7 2
  7 6 8
```

3-2
```
    3 7
  × 1 4
  1 4 8
  3 7
  5 1 8
```

4-1 $42 \times 61 = 2562$ **4**-2 $28 \times 83 = 2324$

51쪽 똑똑한 계산 연습

① 16000   ② 12000
③ 25000   ④ 48000
⑤ 21000   ⑥ 28000
⑦ 36000   ⑧ 45000
⑨ 56000   ⑩ 40000
⑪ 63000   ⑫ 16000

53쪽 똑똑한 계산 연습

① 15180   ② 3750
③ 30840   ④ 24630
⑤ 14320   ⑥ 34350
⑦ 14600   ⑧ 36300
⑨ 18540   ⑩ 28980
⑪ 50640   ⑫ 34560

54~55쪽 기초 집중 연습

1-1 36000   **1**-2 42000
1-3 7170   **1**-4 22650
2-1 9750   **2**-2 8720
2-3 25040   **2**-4 36150
3-1 12000   **3**-2 32000
3-3 10200   **3**-4 15750
4-1 16000   **4**-2 18000
4-3 40, 9600   **4**-4 50, 10750

2-1
```
    3 2 5
  ×   3 0
  9 7 5 0
```

2-2
```
    2 1 8
  ×   4 0
  8 7 2 0
```

2-3
```
      6 2 6
  ×     4 0
  2 5 0 4 0
```

2-4
```
      7 2 3
  ×     5 0
  3 6 1 5 0
```

3-1 $200 \times 60 = 12000$(개)

3-2 $400 \times 80 = 32000$(개)

3-3 $255 \times 40 = 10200$(개)

3-4 $315 \times 50 = 15750$(개)

4-1 (양상추 20통의 값) = (양상추 한 통의 값) $\times 20$

4-2 (연필 30자루의 값) = (연필 한 자루의 값) $\times 30$

4-3 (40상자에 담은 사과의 수)
     = (한 상자에 담은 사과의 수) $\times 40$

4-4 (50봉지에 담은 설탕의 양)
     = (한 봉지에 담은 설탕의 양) $\times 50$

57쪽 똑똑한 계산 연습

① 4080, 680, 4760
② 4820, 1928, 6748
③ 21120, 1056, 22176
④ 18960, 3792, 22752
⑤ 21450, 1287, 22737

① 136×35는 136×30과 136×5의 결과를 더한 값과 같습니다.

② 241×28은 241×20과 241×8의 결과를 더한 값과 같습니다.

③ 528×42는 528×40과 528×2의 결과를 더한 값과 같습니다.

④ 632×36은 632×30과 632×6의 결과를 더한 값과 같습니다.

⑤ 429×53은 429×50과 429×3의 결과를 더한 값과 같습니다.

59쪽 똑똑한 계산 연습

①
```
    1 8 2
  ×   3 4
    7 2 8
  5 4 6
  6 1 8 8
```

②
```
    5 6 4
  ×   2 8
  4 5 1 2
1 1 2 8
1 5 7 9 2
```

③
```
    2 9 1
  ×   5 6
  1 7 4 6
1 4 5 5
1 6 2 9 6
```

④
```
    4 2 7
  ×   4 5
  2 1 3 5
1 7 0 8
1 9 2 1 5
```

⑤
```
    3 1 6
  ×   3 3
    9 4 8
  9 4 8
1 0 4 2 8
```

⑥
```
    6 4 8
  ×   2 3
  1 9 4 4
1 2 9 6
1 4 9 0 4
```

⑦
```
    5 0 6
  ×   6 4
  2 0 2 4
3 0 3 6
3 2 3 8 4
```

⑧
```
    7 5 1
  ×   4 7
  5 2 5 7
3 0 0 4
3 5 2 9 7
```

⑨
```
    8 3 9
  ×   7 1
    8 3 9
5 8 7 3
5 9 5 6 9
```

60~61쪽 기초 집중 연습

1-1 12132	**1**-2 25536
1-3 33288	**1**-4 17485
2-1 20328	**2**-2 17784
2-3 21966	**2**-4 18684
3-1 7150	**3**-2 6324
3-3 24030	**3**-4 20904
4-1 17, 14450	**4**-2 26, 14040
4-3 154, 3696	**4**-4 142, 2414

1-1
```
    3 3 7
  ×   3 6
  2 0 2 2
1 0 1 1
1 2 1 3 2
```

1-2
```
    5 3 2
  ×   4 8
  4 2 5 6
2 1 2 8
2 5 5 3 6
```

1-3
```
    4 5 6
  ×   7 3
  1 3 6 8
3 1 9 2
3 3 2 8 8
```

1-4
```
    2 6 9
  ×   6 5
  1 3 4 5
1 6 1 4
1 7 4 8 5
```

2-1
```
    3 6 3
  ×   5 6
  2 1 7 8
1 8 1 5
2 0 3 2 8
```

2-2
```
    4 5 6
  ×   3 9
  4 1 0 4
1 3 6 8
1 7 7 8 4
```

2-3
```
    5 2 3
  ×   4 2
  1 0 4 6
2 0 9 2
2 1 9 6 6
```

2-4
```
    6 9 2
  ×   2 7
  4 8 4 4
1 3 8 4
1 8 6 8 4
```

3-4 312×67＝20904 (g)

4-1 (17일 동안 저금한 금액)
＝(하루에 저금한 금액)×17

4-2 (26일 동안 저금한 금액)
＝(하루에 저금한 금액)×26

4-3 (24일 동안 한 윗몸일으키기 횟수)
＝(하루에 한 윗몸일으키기 횟수)×24

4-4 (17일 동안 한 줄넘기 횟수)
＝(하루에 한 줄넘기 횟수)×17

① 12900	② 11400
③ 14500	④ 13000
⑤ 16800	⑥ 32400
⑦ 25200	⑧ 24300
⑨ 20800	⑩ 29200
⑪ 32400	⑫ 33500

①
```
        2 7
  ×   3 4 9
      2 4 3
    1 0 8
    8 1
    9 4 2 3
```

②
```
        4 2
  ×   2 5 3
      1 2 6
    2 1 0
    8 4
  1 0 6 2 6
```

③
```
        3 2
  ×   4 3 7
      2 2 4
      9 6
    1 2 8
  1 3 9 8 4
```

④
```
        5 3
  ×   1 3 4
      2 1 2
    1 5 9
    5 3
    7 1 0 2
```

⑤
```
        4 8
  ×   3 3 5
      2 4 0
    1 4 4
    1 4 4
  1 6 0 8 0
```

⑥
```
        6 3
  ×   2 1 5
      3 1 5
      6 3
    1 2 6
  1 3 5 4 5
```

⑦
```
        3 7
  ×   2 6 8
      2 9 6
    2 2 2
    7 4
    9 9 1 6
```

⑧
```
        6 2
  ×   5 4 8
      4 9 6
      2 4 8
    3 1 0
  3 3 9 7 6
```

⑨
```
        7 3
  ×   4 5 3
      2 1 9
    3 6 5
    2 9 2
  3 3 0 6 9
```

1-1 5200	1-2 20500
1-3 19936	1-4 22880
2-1 9400	2-2 16000
2-3 17466	2-4 14941
3-1 2430	3-2 3584
3-3 10976	3-4 20992
4-1 22440	4-2 4212
4-3 150, 8400	4-4 125, 3125

1-1
```
        2 6
  ×   2 0 0
    5 2 0 0
```

1-2
```
        4 1
  ×   5 0 0
  2 0 5 0 0
```

1-3
```
        3 2
  ×   6 2 3
      9 6
    6 4
  1 9 2
  1 9 9 3 6
```

1-4
```
        5 5
  ×   4 1 6
    3 3 0
    5 5
  2 2 0
  2 2 8 8 0
```

2-1
```
        4 7
  ×   2 0 0
    9 4 0 0
```

2-2
```
        3 2
  ×   5 0 0
  1 6 0 0 0
```

2-3
```
        4 1
  ×   4 2 6
    2 4 6
    8 2
  1 6 4
  1 7 4 6 6
```

2-4
```
        6 7
  ×   2 2 3
    2 0 1
    1 3 4
  1 3 4
  1 4 9 4 1
```

3-1 $15 \times 162 = 2430$ (g)

3-2 $32 \times 112 = 3584$ (g)

3-3 $49 \times 224 = 10976$ (g)

3-4 $82 \times 256 = 20992$ (g)

4-1 (버터 264개의 무게)
= (버터 한 개의 무게) × 264

4-2 (초콜릿 117개의 무게)
= (초콜릿 한 개의 무게) × 117

4-3 (150상자에 담긴 사탕의 수)
= (한 상자에 담긴 사탕의 수) × 150

4-4 (125봉지에 담긴 쿠키의 수)
　　=(한 봉지에 담긴 쿠키의 수)×125

---

① 11136 ;

	5	8
×		3
1	7	4

	1	7	4
×		6	4
	6	9	6
1	0	4	4
1	1	1	3	6

② 8550 ;

	2	5
×		9
2	2	5

	2	2	5
×		3	8
1	8	0	0
	6	7	5
8	5	5	0

③ 15582 ;

	4	2
×		7
2	9	4

	2	9	4
×		5	3
	8	8	2
1	4	7	0
1	5	5	8	2

④ 14175 ;

	6	3
×		5
3	1	5

	3	1	5
×		4	5
1	5	7	5
1	2	6	0
1	4	1	7	5

⑤ 7488 ;

	3	2
×		9
2	8	8

	2	8	8
×		2	6
1	7	2	8
	5	7	6
7	4	8	8

⑥ 16352 ;

	7	3
×		4
2	9	2

	2	9	2
×		5	6
1	7	5	2
1	4	6	0
1	6	3	5	2

(위부터)

① 6732, 132, 6732 ; 6732, 204, 6732
② 9588, 204, 9588 ; 9588, 141, 9588
③ 5616, 216, 5616 ; 5616, 104, 5616
④ 12775, 365, 12775 ; 12775, 175, 12775

① 세 수의 곱셈은 두 수씩 곱하여 계산합니다.

> **참고**
> 세 수의 곱셈은 뒤의 두 수를 먼저 곱하여 계산해
> 도 계산 결과가 같습니다.

1-1 6536	**1-2** 4420
1-3 6612	**1-4** 10608
2-1 4305	**2-2** 3024
3-1 5670	**3-2** 10912
3-3 12312	**3-4** 12450
4-1 35, 3780	**4-2** 24, 2688

1-1 $19 \times 8 \times 43 = 6536$
　　　152
　　　　6536

1-2 $34 \times 5 \times 26 = 4420$
　　　170
　　　　4420

1-3 $29 \times 4 \times 57 = 6612$
　　　116
　　　　6612

1-4 $52 \times 6 \times 34 = 10608$
　　　312
　　　　10608

2-1 $41 \times 3 \times 35 = 4305$
　　　123
　　　　4305

2-2 $24 \times 6 \times 21 = 3024$
　　　144
　　　　3024

3-3 $19 \times 9 \times 72 = 12312$ (km)

3-4 $25 \times 6 \times 83 = 12450$ (km)

75쪽	똑똑한 계산 연습

① > ② >
③ < ④ >
⑤ < ⑥ >
⑦ > ⑧ >
⑨ > ⑩ =

① $192 \times 37 = 7104 \Rightarrow 7104 > 7100$

② $234 \times 26 = 6084 \Rightarrow 6084 > 6000$

③ $314 \times 17 = 5338 \Rightarrow 5338 < 5400$

④ $408 \times 22 = 8976 \Rightarrow 8976 > 8970$

⑤ $315 \times 31 = 9765 \Rightarrow 9765 < 9800$

⑥ $524 \times 25 = 13100 \Rightarrow 13100 > 13000$

⑦ $433 \times 35 = 15155 \Rightarrow 15160 > 15155$

⑧ $273 \times 47 = 12831 \Rightarrow 12840 > 12831$

⑨ $347 \times 29 = 10063 \Rightarrow 10100 > 10063$

⑩ $513 \times 37 = 18981 \Rightarrow 18981 = 18981$

77쪽	똑똑한 계산 연습

① < ② <
③ < ④ >
⑤ > ⑥ >
⑦ < ⑧ >

① $100 \times 20 = 2000$, $200 \times 13 = 2600$
　　$\Rightarrow 2000 < 2600$

② $233 \times 40 = 9320$, $316 \times 30 = 9480$
　　$\Rightarrow 9320 < 9480$

③ $300 \times 28 = 8400$, $263 \times 40 = 10520$
　　$\Rightarrow 8400 < 10520$

---

④ $441 \times 26 = 11466$, $503 \times 21 = 10563$
　　$\Rightarrow 11466 > 10563$

⑤ $269 \times 27 = 7263$, $392 \times 10 = 3920$
　　$\Rightarrow 7263 > 3920$

⑥ $425 \times 38 = 16150$, $623 \times 23 = 14329$
　　$\Rightarrow 16150 > 14329$

⑦ $523 \times 22 = 11506$, $453 \times 27 = 12231$
　　$\Rightarrow 11506 < 12231$

⑧ $629 \times 45 = 28305$, $923 \times 23 = 21229$
　　$\Rightarrow 28305 > 21229$

78~79쪽	기초 집중 연습

1-1 < **1-2** >
2-1 224×29에 ○표 **2-2** 583×24에 ○표
2-3 416×52에 ○표
3-1 < **3-2** >
3-3 > **3-4** <
4-1 <, 파란색 색종이 **4-2** <, 한글 카드

1-1 $323 \times 23 = 7429 \Rightarrow 7429 < 7520$

1-2 $407 \times 30 = 12210 \Rightarrow 12210 > 12000$

2-1 $224 \times 29 = 6496$, $182 \times 34 = 6188$
　　$\Rightarrow 6496 > 6188$

2-2 $723 \times 16 = 11568$, $583 \times 24 = 13992$
　　$\Rightarrow 11568 < 13992$

2-3 $416 \times 52 = 21632$, $347 \times 47 = 16309$
　　$\Rightarrow 21632 > 16309$

3-1 과학책: $20 \times 120 = 2400$(쪽),
　　만화책: $17 \times 152 = 2584$(쪽) $\Rightarrow 2400 < 2584$

3-2 영어책: $23 \times 143 = 3289$(쪽),
　　동화책: $32 \times 102 = 3264$(쪽) $\Rightarrow 3289 > 3264$

3-3 동화책: $28 \times 105 = 2940$(쪽),
　　과학책: $16 \times 140 = 2240$(쪽) $\Rightarrow 2940 > 2240$

3-4 만화책: $42 \times 104 = 4368$(쪽),
영어책: $33 \times 136 = 4488$(쪽) ⇨ $4368 < 4488$

4-1 $255 \times 19 = 4845$(장) ⇨ $4845 < 5000$

4-2 수 카드의 수: $130 \times 25 = 3250$(장),
한글 카드의 수: $110 \times 30 = 3300$(장)
⇨ $3250 < 3300$

80~81쪽 　**누구나 100점 맞는 TEST**

❶ (1) 20000　(2) 49000
❷ (1) 9440　(2) 27400
❸ 6510, 434, 6944
❹ (1) 9072　(2) 26789
❺ 10175
❻ (1) 15660　(2) 11760
❼ (1) 8658　(2) 14310
❽ 4712
❾ >
❿ (1) >　(2) >

❹ (1) $432 \times 21 = 9072$　(2) $623 \times 43 = 26789$

❺ $25 \times 407 = 10175$

❻ (1) $580 \times 27 = 15660$　(2) $735 \times 16 = 11760$

❼ (1) $26 \times 9 \times 37 = 8658$
　　　 $\underbrace{234}$
　　　 $\underbrace{\qquad 8658 \qquad}$

(2) $53 \times 6 \times 45 = 14310$
　　 $\underbrace{318}$
　　 $\underbrace{\qquad 14310 \qquad}$

❽ $19 \times 8 \times 31 = 4712$
　 $\underbrace{152}$
　 $\underbrace{\qquad 4712 \qquad}$

❾ $219 \times 53 = 11607$ ⇨ $11607 > 11200$

❿ (1) $421 \times 28 = 11788$, $317 \times 33 = 10461$
　　 ⇨ $11788 > 10461$
(2) $297 \times 54 = 16038$, $523 \times 26 = 13598$
　　 ⇨ $16038 > 13598$

82~87쪽 　**특강**　　**창의·융합·코딩**

융합❶ 18000　　융합❷ 3724, 570
융합❸ 59220　　융합❹ 4500
융합❺ 20000　　융합❻ 17500
창의❼ 9720, 7200, 3456
융합❽ 15300, 32200
창의❾ $874 \times 64 = 55936$
코딩❿ 5175

융합❷ (빨랫감 모아 세탁하여 절약한 물의 양)
$= 196 \times 19 = 3724$ (L)
(양치컵 사용하여 절약한 물의 양)
$= 2 \times 285 = 570$ (L)

융합❸ 캐나다 돈 70달러는 우리나라 돈으로
$846 \times 70 = 59220$(원)입니다.

융합❹ 쌀 한 섬이 180 L이므로 쌀 25섬은
$180 \times 25 = 4500$ (L)입니다.

융합❺ $625 \times 32 = 20000$(원)

융합❻ $625 \times 28 = 17500$(원)

창의❼
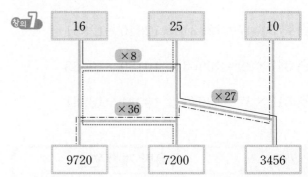

$16 \times 8 \times 27 = 3456$, $25 \times 8 \times 36 = 7200$,
$10 \times 27 \times 36 = 9720$

융합❽ (샐러드 60접시 열량) $= 255 \times 60 = 15300$ (kcal),
(햄버거 35개 열량) $= 920 \times 35 = 32200$ (kcal)

창의❾ 가장 큰 곱이 되려면 가장 큰 세 자리 수와 가장
큰 두 자리 수를 곱합니다. 7, 8, 4로 만들 수
있는 가장 큰 세 자리 수는 874이고, 6, 4로 만
들 수 있는 가장 큰 두 자리 수는 64입니다.
⇨ $874 \times 64 = 55936$

코딩❿ 로봇이 주운 수 카드에 적힌 수는 225, 23이므
로 두 수의 곱은 $225 \times 23 = 5175$입니다.

나눗셈 (1)

90~91쪽 이번에 배울 내용을 알아볼까요? ②

1-1
```
     1 5
  4)6 0
    4
    2 0
    2 0
      0
```

1-2
```
     1 4
  5)7 0
    5
    2 0
    2 0
      0
```

1-3 25

1-4 13 … 2

1-5 22 … 2

2-1
```
     3 8
  5)1 9 0
    1 5
      4 0
      4 0
        0
```

2-2
```
     6 5
  8)5 2 0
    4 8
      4 0
      4 0
        0
```

2-3 85

2-4 64 … 2

2-5 81 … 4

1-3
```
    25
  2)50
    4
    10
    10
     0
```

1-4
```
    13
  6)80
    6
    20
    18
     2
```

1-5
```
    22
  4)90
    8
    10
     8
     2
```

2-3
```
     85
  4)340
    32
     20
     20
      0
```

2-4
```
     64
  7)450
    42
     30
     28
      2
```

2-5
```
     81
  6)490
    48
     10
      6
      4
```

93쪽 똑똑한 계산 연습

①
```
       1
  8 0)8 0
      8 0
        0
```

②
```
       1
  3 0)3 0
      3 0
        0
```

③
```
       2
  2 0)4 0
      4 0
        0
```

④
```
       3
  2 0)6 0
      6 0
        0
```

⑤
```
       1
  7 0)7 0
      7 0
        0
```

⑥
```
       2
  4 0)8 0
      8 0
        0
```

⑦
```
       1
  6 0)6 0
      6 0
        0
```

⑧
```
       1
  9 0)9 0
      9 0
        0
```

⑨
```
       1
  4 0)4 0
      4 0
        0
```

⑩
```
       1
  5 0)5 0
      5 0
        0
```

⑪
```
       4
  2 0)8 0
      8 0
        0
```

⑫
```
       3
  3 0)9 0
      9 0
        0
```

95쪽 똑똑한 계산 연습

①
```
         8
  2 0)1 6 0
      1 6 0
          0
```

②
```
         8
  3 0)2 4 0
      2 4 0
          0
```

③
```
         7
  4 0)2 8 0
      2 8 0
          0
```

④
```
         5
  5 0)2 5 0
      2 5 0
          0
```

⑤
```
         6
  6 0)3 6 0
      3 6 0
          0
```

⑥
```
         7
  7 0)4 9 0
      4 9 0
          0
```

⑦
```
         7
  8 0)5 6 0
      5 6 0
          0
```

⑧
```
         6
  9 0)5 4 0
      5 4 0
          0
```

⑨
```
         8
  4 0)3 2 0
      3 2 0
          0
```

⑩ 3

⑪ 6

⑫ 9

⑬ 7

정답 및 풀이

1-1 2, 80 **1-2** 5, 150
1-3 7, 350 **1-4** 8, 480
2-1 9 **2-2** 9
2-3 8 **2-4** 5
3-1 4 **3-2** 6
3-3 4 **3-4** 7
4-1 3 **4-2** 30, 6
4-3 80, 3 **4-4** 240, 40, 6

3-3 $280 \div 70 = 4$(도막)

3-4 $420 \div 60 = 7$(도막)

4-2 $180 \div 30 = 6$(개)

4-4 $240 \div 40 = 6$(개)

①
```
      2 0
2 0)4 0 0
    4 0
      0
```
②
```
      2 0
3 0)6 0 0
    6 0
      0
```
③
```
      2 0
4 0)8 0 0
    8 0
      0
```
④
```
      1 0
6 0)6 0 0
    6 0
      0
```
⑤
```
      1 0
9 0)9 0 0
    9 0
      0
```
⑥
```
      4 0
2 0)8 0 0
    8 0
      0
```
⑦
```
      3 0
3 0)9 0 0
    9 0
      0
```
⑧
```
      1 0
4 0)4 0 0
    4 0
      0
```
⑨
```
      3 0
2 0)6 0 0
    6 0
      0
```
⑩
```
      1 0
5 0)5 0 0
    5 0
      0
```
⑪
```
      1 0
7 0)7 0 0
    7 0
      0
```
⑫
```
      1 0
8 0)8 0 0
    8 0
      0
```

①
```
        1 7
4 0)6 8 0
    4 0
    2 8 0
    2 8 0
        0
```
②
```
        1 5
5 0)7 5 0
    5 0
    2 5 0
    2 5 0
        0
```
③
```
        1 4
6 0)8 4 0
    6 0
    2 4 0
    2 4 0
        0
```
④
```
        3 7
2 0)7 4 0
    6 0
    1 4 0
    1 4 0
        0
```
⑤
```
        1 2
8 0)9 6 0
    8 0
    1 6 0
    1 6 0
        0
```
⑥
```
        1 3
7 0)9 1 0
    7 0
    2 1 0
    2 1 0
        0
```
⑦
```
        2 9
2 0)5 8 0
    4 0
    1 8 0
    1 8 0
        0
```
⑧
```
        1 8
4 0)7 2 0
    4 0
    3 2 0
    3 2 0
        0
```
⑨
```
        1 8
3 0)5 4 0
    3 0
    2 4 0
    2 4 0
        0
```

1-1 420 **1-2** 660
1-3 440 **1-4** 700
2-1 31 **2-2** 12
2-3 18 **2-4** 24
3-1 41 **3-2** 21
3-3 14 **3-4** 45
4-1 30, 33 **4-2** 570, 30, 19
4-3 40, 21 **4-4** 960, 60, 16

똑똑한 계산 연습

**① **
```
        3
2 0 ) 6 5
      6 0
        5
```

**② **
```
        3
3 0 ) 9 7
      9 0
        7
```

**③ **
```
        4
2 0 ) 8 7
      8 0
        7
```

**④ **
```
        3
2 0 ) 7 5
      6 0
      1 5
```

**⑤ **
```
        2
3 0 ) 8 2
      6 0
      2 2
```

**⑥ **
```
        2
4 0 ) 9 6
      8 0
      1 6
```

**⑦ **
```
        2
3 0 ) 7 2
      6 0
      1 2
```

**⑧ **
```
        1
5 0 ) 6 5
      5 0
      1 5
```

**⑨ **
```
        4
2 0 ) 8 4
      8 0
        4
```

**⑩ **
```
        2
4 0 ) 8 8
      8 0
        8
```

**⑪ **
```
        2
2 0 ) 5 7
      4 0
      1 7
```

**⑫ **
```
        1
6 0 ) 7 3
      6 0
      1 3
```

② 30에 3을 곱하면 97보다 크지 않고 97에 가까운 수가 되므로 몫은 3입니다.

③ 20에 4를 곱하면 87보다 크지 않고 87에 가까운 수가 되므로 몫은 4입니다.

똑똑한 계산 연습

**① **
```
        2
2 0 ) 4 8
      4 0
        8
```
$20 \times \boxed{2} = \boxed{40}$
$40 + \boxed{8} = 48$

**② **
```
        2
3 0 ) 6 9
      6 0
        9
```
$30 \times \boxed{2} = \boxed{60}$
$60 + \boxed{9} = 69$

**③ **
```
        2
4 0 ) 8 7
      8 0
        7
```
$40 \times \boxed{2} = \boxed{80}$
$\boxed{80} + \boxed{7} = 87$

**④ **
```
        4
2 0 ) 9 1
      8 0
      1 1
```
$20 \times \boxed{4} = \boxed{80}$
$\boxed{80} + \boxed{11} = 91$

**⑤ **
```
        2
3 0 ) 8 3
      6 0
      2 3
```
$30 \times \boxed{2} = \boxed{60}$
$\boxed{60} + \boxed{23} = 83$

**⑥ **
```
        2
4 0 ) 9 5
      8 0
      1 5
```
$40 \times \boxed{2} = \boxed{80}$
$\boxed{80} + \boxed{15} = 95$

기초 집중 연습

1-1 2, 60 ; 60, 15 **1-2** 2, 80 ; 80, 11
1-3 4, 80 ; 80, 8, 88 **1-4** 3, 90 ; 90, 5, 95
2-1 2, 11 **2-2** 2, 14
2-3 1, 29 **2-4** 3, 7
3-1 3 **3-2** 3
3-3 2 **3-4** 2
4-1 2, 24 ; 2, 24 **4-2** 4, 15 ; 4, 15

2-1
```
        2
3 0 ) 7 1
      6 0
      1 1
```

2-2
```
        2
2 0 ) 5 4
      4 0
      1 4
```

2-3
```
        1
5 0 ) 7 9
      5 0
      2 9
```

2-4
```
        3
3 0 ) 9 7
      9 0
        7
```

3-1 $71 \div 20 = 3 \cdots 11$

3-2 $98 \div 30 = 3 \cdots 8$

3-3 $85 \div 40 = 2 \cdots 5$

3-4 $59 \div 20 = 2 \cdots 19$

111쪽　똑똑한 계산 연습

```
①        6        ②        7
  20)1 3 0          60)4 4 0
     1 2 0             4 2 0
       1 0               2 0

③        7        ④        5
  30)2 3 0          30)1 6 0
     2 1 0             1 5 0
       2 0               1 0

⑤        3        ⑥        4
  50)1 8 0          70)3 4 0
     1 5 0             2 8 0
       3 0               6 0

⑦        5        ⑧        7
  40)2 1 0          90)6 5 0
     2 0 0             6 3 0
       1 0               2 0

⑨        7        ⑩        8
  20)1 5 0          50)4 3 0
     1 4 0             4 0 0
       1 0               3 0

⑪        6        ⑫        9
  60)3 9 0          80)7 6 0
     3 6 0             7 2 0
       3 0               4 0
```

```
③      3 5       ④      1 3
  20)7 1 0          60)8 3 0
     6 0               6 0
     1 1 0             2 3 0
     1 0 0             1 8 0
       1 0               5 0

⑤      1 8       ⑥      2 5
  50)9 3 0          30)7 7 0
     5 0               6 0
     4 3 0             1 7 0
     4 0 0             1 5 0
       3 0               2 0

⑦      1 6       ⑧      1 2
  40)6 7 0          70)8 6 0
     4 0               7 0
     2 7 0             1 6 0
     2 4 0             1 4 0
       3 0               2 0

⑨      1 5
  60)9 4 0
     6 0
     3 4 0
     3 0 0
       4 0
```

① 130은 120과 140 사이의 수이므로 130÷20의 몫은 6입니다.

② 440은 420과 480 사이의 수이므로 440÷60의 몫은 7입니다.

113쪽　똑똑한 계산 연습

```
①      1 7       ②      1 2
  30)5 2 0          40)5 1 0
     3 0               4 0
     2 2 0             1 1 0
     2 1 0               8 0
       1 0               3 0
```

114~115쪽　기초 집중 연습

1-1 4, 10		1-2 15, 10
1-3 29, 20		1-4 19, 20
2-1 5, 10		2-2 12, 20
2-3 4, 40		2-4 28, 20
2-5 7, 30		2-6 15, 30
3-1 10		3-2 20
3-3 30		3-4 10
4-1 60, 4, 10 ; 4		4-2 50, 11, 30 ; 11

```
2-5        7       2-6      1 5
    80)5 9 0            40)6 3 0
       5 6 0               4 0
         3 0              2 3 0
                          2 0 0
                            3 0
```

똑똑한 계산 연습

①
```
        5
30)1 6 9
    1 5 0
      1 9
```

②
```
        6
50)3 2 7
    3 0 0
      2 7
```

③
```
        8
60)5 1 5
    4 8 0
      3 5
```

④
```
        5
40)2 1 3
    2 0 0
      1 3
```

⑤
```
        3
30)1 0 9
      9 0
      1 9
```

⑥
```
        8
60)4 8 2
    4 8 0
        2
```

⑦
```
        8
20)1 7 5
    1 6 0
      1 5
```

⑧
```
        6
50)3 3 4
    3 0 0
      3 4
```

⑨
```
        8
30)2 5 2
    2 4 0
      1 2
```

⑩
```
        8
80)6 9 1
    6 4 0
      5 1
```

⑪
```
        6
70)4 6 7
    4 2 0
      4 7
```

⑫
```
        8
40)3 2 9
    3 2 0
        9
```

⑤
```
      1 4
60)8 9 7
    6 0
    2 9 7
    2 4 0
      5 7
```

⑥
```
      2 6
30)7 8 2
    6 0
    1 8 2
    1 8 0
        2
```

⑦
```
      1 2
80)9 8 5
    8 0
    1 8 5
    1 6 0
      2 5
```

⑧
```
      1 4
40)5 6 3
    4 0
    1 6 3
    1 6 0
        3
```

⑨
```
      4 1
20)8 2 9
    8 0
      2 9
      2 0
        9
```

기초 집중 연습

1-1 7, 24 **1-2** 14, 38

1-3 23, 25 **1-4** 27, 17

2-1 (위부터) 8, 8, 4, 48

2-2 (위부터) 40, 9, 11, 39

2-3 (위부터) 9, 14, 5, 24

2-4 (위부터) 13, 46, 27, 16

3-1 8, 33 ; 9 **3-2** 30, 13, 24 ; 14

3-3 50, 11, 27 ; 12

4-1 60, 7, 19 ; 7 **4-2** 70, 13, 64 ; 13

2-2
```
    4 0          1 1
20)8 0 9      70)8 0 9
  8 0            7 0
    9 ,        1 0 9
                 7 0
                 3 9
```

2-4
```
    1 3          2 7
60)8 2 6      30)8 2 6
  6 0            6 0
  2 2 6        2 2 6
  1 8 0        2 1 0
    4 6 ,        1 6
```

똑똑한 계산 연습

①
```
      1 2
50)6 3 4
    5 0
    1 3 4
    1 0 0
      3 4
```

②
```
      1 8
40)7 2 1
    4 0
    3 2 1
    3 2 0
        1
```

③
```
      1 3
70)9 4 6
    7 0
    2 4 6
    2 1 0
      3 6
```

④
```
      2 4
20)4 9 3
    4 0
      9 3
      8 0
      1 3
```

3-1 353÷40=8 … 33에서 남는 33쪽도 읽어야 하므로 9일이 걸립니다.

3-2 414÷30=13 … 24에서 남는 24쪽도 읽어야 하므로 14일이 걸립니다.

3-3 577÷50=11 … 27에서 남는 27쪽도 읽어야 하므로 12일이 걸립니다.

4-1 439÷60=7 … 19
└ 만들 수 있는 리본 수

4-2 974÷70=13 … 64
└ 만들 수 있는 꽃 수

9 (1) 20<65 ⇨ 65÷20=3 … 5
(2) 942>60 ⇨ 942÷60=15 … 42

10 (1) 230÷70=3 … 20
180÷80=2 … 20
⇨ 20=20
(2) 517÷40=12 … 37
682÷50=13 … 32
⇨ 37>32

122~123쪽   누구나 100점 맞는 TEST

❶ 4, 80, 4
❷ (1) 3, 120 (2) 7, 420
❸
```
     17
50)850
     50
    350
    350
      0
```
❹ (1) 6 … 60
(2) 24 … 10
❺ (1) 2 (2) 5
❻ 4, 4
❼ 4, 20
❽ 5, 450 ; 450, 20, 470
❾ (1) 3 (2) 15   ❿ (1) = (2) >

❹ (1)
```
      6
70)480
   420
    60
```
(2)
```
     24
30)730
    60
   130
   120
    10
```

❺ (1)
```
      2
40)80
   80
    0
```
(2)
```
      5
30)150
   150
     0
```

❻
```
      4
70)284
   280
     4
```

❽ (나누는 수)×(몫)의 결과에 나머지를 더해서 나누어지는 수가 되면 계산을 바르게 한 것입니다.
90×5=450, 450+20=470

124~129쪽 특강   창의·융합·코딩

창의**1** 12, 15 ; 12, 15
창의**2** 팔찌   융합**3** 9
융합**4** 7, 11   융합**5** 32
융합**6** 11, 14   창의**7** 과일 가게
코딩**8** 14   창의**9** 8, 10, 8, 10, 18
창의**10** 985, 70, 14, 5

창의**2**
```
     17 ─①
40)688
    40
   288
   280
     8 ─②
```

융합**3** 180÷20=9(통)

융합**4** 151÷20=7 … 11

융합**5** 960÷30=32(도막)

융합**6** 564÷50=11 … 14

창의**7** 92÷20=4 … 12, 147÷60=2 … 27
⇨ 심부름 장소는 과일 가게입니다.

코딩**8** 로봇이 지나간 길에 있는 두 수는 60, 840입니다.
⇨ 840÷60=14

창의**10** 정아: 가장 큰 세 자리 수 → 985
주혁: 몇십 → 70
⇨ 985÷70=14 … 5

4주 • 나눗셈 (2)

132~133쪽 이번에 배울 내용을 알아볼까요? ②

1-1
```
        2
  3 0 ) 6 3
        6 0
          3
```

1-2
```
          4
  2 0 ) 9 1
        8 0
        1 1
```

2-1 2, 7

2-2 3, 4

3-1
```
            5
  2 0 ) 1 0 7
        1 0 0
            7
```

3-2
```
            8
  4 0 ) 3 3 8
        3 2 0
          1 8
```

4-1 6, 1

4-2 6, 32

135쪽 똑똑한 계산 연습

①
```
        3
  1 7 ) 5 1
        5 1
          0
```

②
```
        2
  2 6 ) 5 2
        5 2
          0
```

③
```
        6
  1 4 ) 8 4
        8 4
          0
```

④
```
        2
  2 3 ) 4 6
        4 6
          0
```

⑤
```
        4
  1 2 ) 4 8
        4 8
          0
```

⑥
```
        2
  3 9 ) 7 8
        7 8
          0
```

⑦
```
        5
  1 3 ) 6 5
        6 5
          0
```

⑧
```
        3
  2 8 ) 8 4
        8 4
          0
```

⑨
```
        6
  1 6 ) 9 6
        9 6
          0
```

⑩
```
        7
  1 2 ) 8 4
        8 4
          0
```

⑪
```
        4
  1 5 ) 6 0
        6 0
          0
```

⑫
```
        5
  1 7 ) 8 5
        8 5
          0
```

137쪽 똑똑한 계산 연습

①
```
        3
  2 3 ) 7 5
        6 9
          6
```

②
```
        4
  1 5 ) 7 1
        6 0
        1 1
```

③
```
        4
  1 6 ) 6 8
        6 4
          4
```

④
```
        4
  1 4 ) 5 9
        5 6
          3
```

⑤
```
        3
  2 6 ) 8 4
        7 8
          6
```

⑥
```
        4
  2 1 ) 9 6
        8 4
        1 2
```

⑦
```
        5
  1 8 ) 9 5
        9 0
          5
```

⑧
```
        2
  3 7 ) 8 7
        7 4
        1 3
```

⑨
```
        3
  1 9 ) 6 5
        5 7
          8
```

⑩
```
        2
  4 6 ) 9 8
        9 2
          6
```

⑪
```
        3
  2 4 ) 9 3
        7 2
        2 1
```

⑫
```
        7
  1 3 ) 9 3
        9 1
          2
```

138~139쪽 기초 집중 연습

1-1 96
1-2 84

1-3 5 ; 6, 76
1-4 2, 56 ; 56, 69

2-1 5, 3
2-2 2, 15

2-3 3, 7
2-4 7, 6

3-1 6
3-2 4

3-3 7

4-1 5, 7 ; 7
4-2 24, 3, 4 ; 4

1-1 나머지가 없는 경우 계산한 결과가 맞는지 확인하기:
(나누는 수)×(몫)＝(나누어지는 수)

1-3 나머지가 있는 경우 계산한 결과가 맞는지 확인하기:
(나누는 수)×(몫)＝■, ■＋(나머지)＝(나누어지는 수)

정답
풀이

정답 및 풀이 • **19**

141쪽 똑똑한 계산 연습

①
```
        3
3 7 ) 1 1 1
      1 1 1
          0
```

②
```
          6
2 8 ) 1 6 8
      1 6 8
          0
```

③
```
        5
2 4 ) 1 2 0
      1 2 0
          0
```

④
```
          7
1 6 ) 1 1 2
      1 1 2
          0
```

⑤
```
        5
2 1 ) 1 0 5
      1 0 5
          0
```

⑥
```
          3
4 6 ) 1 3 8
      1 3 8
          0
```

⑦
```
        4
3 3 ) 1 3 2
      1 3 2
          0
```

⑧
```
          7
5 2 ) 3 6 4
      3 6 4
          0
```

⑨
```
        4
2 7 ) 1 0 8
      1 0 8
          0
```

⑩
```
          2
8 3 ) 1 6 6
      1 6 6
          0
```

⑪
```
        6
4 2 ) 2 5 2
      2 5 2
          0
```

⑫
```
          8
3 9 ) 3 1 2
      3 1 2
          0
```

⑦
```
          3
3 6 ) 1 3 1
      1 0 8
        2 3
```

⑧
```
            5
4 4 ) 2 3 6
      2 2 0
        1 6
```

⑨
```
          8
5 1 ) 4 4 0
      4 0 8
        3 2
```

⑩
```
            2
7 3 ) 1 5 5
      1 4 6
          9
```

⑪
```
          7
5 6 ) 4 0 6
      3 9 2
        1 4
```

⑫
```
            4
6 8 ) 2 9 1
      2 7 2
        1 9
```

143쪽 똑똑한 계산 연습

①
```
          3
7 2 ) 2 2 0
      2 1 6
          4
```

②
```
          5
2 6 ) 1 4 2
      1 3 0
        1 2
```

③
```
          6
4 5 ) 2 7 8
      2 7 0
          8
```

④
```
          4
4 2 ) 1 7 8
      1 6 8
        1 0
```

⑤
```
          6
2 3 ) 1 4 6
      1 3 8
          8
```

⑥
```
          7
1 9 ) 1 3 8
      1 3 3
          5
```

144~145쪽 기초 집중 연습

1-1 150 **1-2** 296

1-3 5 ; 6, 121 **1-4** 7, 112 ; 112, 120

2-1 8, 7 **2-2** 7, 4

2-3 8, 13 **2-4** 4, 17

3-1 5, 15 **3-2** 6, 11

3-3 7, 4 **3-4** 7, 21

4-1 17, 8 **4-2** 144, 24, 6

2-1
```
        8
2 2 ) 1 8 3
    1 7 6
        7
```

2-2
```
        7
1 5 ) 1 0 9
    1 0 5
        4
```

2-3
```
        8
3 4 ) 2 8 5
    2 7 2
      1 3
```

2-4
```
        4
2 9 ) 1 3 3
    1 1 6
      1 7
```

3-1 $140 \div 25 = 5 \cdots 15$

3-2 $239 \div 38 = 6 \cdots 11$

3-3 $193 \div 27 = 7 \cdots 4$

3-4 $315 \div 42 = 7 \cdots 21$

4-1 (한 명이 가지는 공책 수)
  =(전체 공책 수)÷(사람 수)

4-2 (한 명이 가지는 연필 수)
  =(전체 연필 수)÷(사람 수)

똑똑한 계산 연습

①
$$\begin{array}{r} 30 \\ 16\overline{)480} \\ 48 \\ \hline 0 \end{array}$$

②
$$\begin{array}{r} 20 \\ 35\overline{)700} \\ 70 \\ \hline 0 \end{array}$$

③
$$\begin{array}{r} 40 \\ 24\overline{)960} \\ 96 \\ \hline 0 \end{array}$$

④
$$\begin{array}{r} 20 \\ 27\overline{)540} \\ 54 \\ \hline 0 \end{array}$$

⑤
$$\begin{array}{r} 70 \\ 14\overline{)980} \\ 98 \\ \hline 0 \end{array}$$

⑥
$$\begin{array}{r} 50 \\ 17\overline{)850} \\ 85 \\ \hline 0 \end{array}$$

⑦
$$\begin{array}{r} 40 \\ 21\overline{)840} \\ 84 \\ \hline 0 \end{array}$$

⑧
$$\begin{array}{r} 30 \\ 31\overline{)930} \\ 93 \\ \hline 0 \end{array}$$

⑨
$$\begin{array}{r} 30 \\ 26\overline{)780} \\ 78 \\ \hline 0 \end{array}$$

⑩
$$\begin{array}{r} 20 \\ 39\overline{)780} \\ 78 \\ \hline 0 \end{array}$$

⑪
$$\begin{array}{r} 50 \\ 13\overline{)650} \\ 65 \\ \hline 0 \end{array}$$

⑫
$$\begin{array}{r} 40 \\ 19\overline{)760} \\ 76 \\ \hline 0 \end{array}$$

⑦
$$\begin{array}{r} 10 \\ 58\overline{)614} \\ 58 \\ \hline 34 \end{array}$$

⑧
$$\begin{array}{r} 20 \\ 34\overline{)696} \\ 68 \\ \hline 16 \end{array}$$

⑨
$$\begin{array}{r} 20 \\ 25\overline{)504} \\ 50 \\ \hline 4 \end{array}$$

⑩
$$\begin{array}{r} 70 \\ 12\overline{)851} \\ 84 \\ \hline 11 \end{array}$$

⑪
$$\begin{array}{r} 40 \\ 23\overline{)928} \\ 92 \\ \hline 8 \end{array}$$

⑫
$$\begin{array}{r} 50 \\ 17\overline{)863} \\ 85 \\ \hline 13 \end{array}$$

똑똑한 계산 연습

①
$$\begin{array}{r} 40 \\ 15\overline{)604} \\ 60 \\ \hline 4 \end{array}$$

②
$$\begin{array}{r} 30 \\ 21\overline{)639} \\ 63 \\ \hline 9 \end{array}$$

③
$$\begin{array}{r} 20 \\ 42\overline{)852} \\ 84 \\ \hline 12 \end{array}$$

④
$$\begin{array}{r} 30 \\ 32\overline{)967} \\ 96 \\ \hline 7 \end{array}$$

⑤
$$\begin{array}{r} 60 \\ 14\overline{)846} \\ 84 \\ \hline 6 \end{array}$$

⑥
$$\begin{array}{r} 30 \\ 27\overline{)830} \\ 81 \\ \hline 20 \end{array}$$

기초 집중 연습

1-1 40, 10	**1-2** 30, 8
1-3 20, 19	**1-4** 60, 7
2-1 30	**2-2** 20
2-3 40	**2-4** 30
3-1 40	**3-2** 20
3-3 30	**3-4** 50
4-1 16, 40	**4-2** 900, 45, 20
4-3 500, 25, 20	**4-4** 720, 12, 60

1-1
$$\begin{array}{r} 40 \\ 21\overline{)850} \\ 84 \\ \hline 10 \end{array}$$

1-2
$$\begin{array}{r} 30 \\ 25\overline{)758} \\ 75 \\ \hline 8 \end{array}$$

1-3
$$\begin{array}{r} 20 \\ 23\overline{)479} \\ 46 \\ \hline 19 \end{array}$$

1-4
$$\begin{array}{r} 60 \\ 14\overline{)847} \\ 84 \\ \hline 7 \end{array}$$

3-1 $680 \div 17 = 40$

3-2 $483 \div 24 = 20 \cdots 3$

3-3 $960 \div 32 = 30$

3-4 $704 \div 14 = 50 \cdots 4$

4-1 (철사 1 m의 가격)＝(전체 가격)÷(철사 길이)

4-3 (클립 한 개의 가격)＝(전체 가격)÷(클립 수)

153쪽 똑똑한 계산 연습

①
```
        3 2
1 4 ) 4 4 8
      4 2
        2 8
        2 8
          0
```

②
```
          3 5
2 3 ) 8 0 5
      6 9
      1 1 5
      1 1 5
          0
```

③
```
        1 6
4 8 ) 7 6 8
      4 8
      2 8 8
      2 8 8
          0
```

④
```
          2 2
2 7 ) 5 9 4
      5 4
        5 4
        5 4
          0
```

⑤
```
        1 5
3 5 ) 5 2 5
      3 5
      1 7 5
      1 7 5
          0
```

⑥
```
          2 3
4 2 ) 9 6 6
      8 4
      1 2 6
      1 2 6
          0
```

⑦
```
        2 4
3 3 ) 7 9 2
      6 6
      1 3 2
      1 3 2
          0
```

⑧
```
          4 2
1 7 ) 7 1 4
      6 8
        3 4
        3 4
          0
```

⑨
```
          1 2
5 6 ) 6 7 2
      5 6
      1 1 2
      1 1 2
          0
```

⑤
```
          3 2
2 9 ) 9 4 0
      8 7
        7 0
        5 8
        1 2
```

⑥
```
            2 8
2 5 ) 7 0 5
      5 0
        2 0 5
        2 0 0
            5
```

⑦
```
          1 5
4 4 ) 6 8 7
      4 4
      2 4 7
      2 2 0
        2 7
```

⑧
```
            2 3
3 8 ) 8 8 9
      7 6
        1 2 9
        1 1 4
          1 5
```

⑨
```
          6 9
1 3 ) 9 0 5
      7 8
      1 2 5
      1 1 7
          8
```

155쪽 똑똑한 계산 연습

①
```
          3 4
2 3 ) 7 8 5
      6 9
        9 5
        9 2
          3
```

②
```
          5 2
1 4 ) 7 3 4
      7 0
        3 4
        2 8
          6
```

③
```
          2 1
3 7 ) 7 9 1
      7 4
        5 1
        3 7
        1 4
```

④
```
          4 7
1 6 ) 7 5 6
      6 4
      1 1 6
      1 1 2
          4
```

156~157쪽 기초 집중 연습

1-1 (위부터) 41, 96, 28, 24, 4
1-2 (위부터) 24, 34, 73, 68, 5
1-3 (위부터) 35, 81, 140, 135, 5

2-1 26	**2**-2 52
2-3 16	**2**-4 47
2-5 51	**2**-6 14
3-1 62	**3**-2 16, 53
3-3 798, 21, 38	**3**-4 962, 13, 74
4-1 21, 10 ; 22	**4**-2 45, 12, 8 ; 13

3-1 (1분 동안 이동한 거리)
＝(이동한 거리)÷(이동한 시간)

4-1 493÷23＝21 … 10
⇨ 23명씩 21대에 타고 남은 10명도 타야 하므로 필요한 버스는 21＋1＝22(대)입니다.

4-2 548÷45＝12 … 8
⇨ 45명씩 12척에 타고 남은 8명도 타야 하므로 필요한 배는 12＋1＝13(척)입니다.

159쪽	똑똑한 계산 연습

① 8 　　　　② 11
③ 19, 40 　　④ 36, 24
⑤ 870, 30 　　⑥ 518, 7
⑦ 798, 21, 38 ⑧ 490, 35, 14

① 곱셈식을 나눗셈식으로 바꾸어 ●의 값을 구합
니다.

　$23 \times ● = 184 \Rightarrow 184 \div 23 = ●, ● = 8$

⑦ $21 \times ● = 798 \Rightarrow 798 \div 21 = ●, ● = 38$

⑧ $35 \times ● = 490 \Rightarrow 490 \div 35 = ●, ● = 14$

161쪽	똑똑한 계산 연습

① 50 　　　　② 32
③ 18, 41 　　④ 34, 20
⑤ 690, 15 　　⑥ 720, 30
⑦ 689, 53, 13 ⑧ 756, 63, 12

① 곱셈식을 나눗셈식으로 바꾸어 ●의 값을 구합
니다.

　$● \times 15 = 750 \Rightarrow 750 \div 15 = ●, ● = 50$

⑦ $● \times 53 = 689 \Rightarrow 689 \div 53 = ●, ● = 13$

⑧ $● \times 63 = 756 \Rightarrow 756 \div 63 = ●, ● = 12$

162~163쪽	기초 집중 연습

1-1 15 　　　　1-2 50
1-3 26 　　　　1-4 31
2-1 30 　　　　2-2 7
2-3 8 　　　　2-4 13
3-1 20 　　　　3-2 72
4-1 $13 \times \square = 78$; 6　4-2 $27 \times \square = 972$; 36
4-3 $\square \times 25 = 500$; 20 4-4 $\square \times 16 = 384$; 24

1-1 $38 \times \square = 570$
　　$\Rightarrow 570 \div 38 = \square, \square = 15$

1-2 $\square \times 14 = 700$
　　$\Rightarrow 700 \div 14 = \square, \square = 50$

1-3 $16 \times \square = 416$
　　$\Rightarrow 416 \div 16 = \square, \square = 26$

1-4 $\square \times 27 = 837$
　　$\Rightarrow 837 \div 27 = \square, \square = 31$

2-1 $19 \times \square = 570$
　　$\Rightarrow 570 \div 19 = \square, \square = 30$

2-2 $48 \times \square = 336$
　　$\Rightarrow 336 \div 48 = \square, \square = 7$

2-3 $\square \times 24 = 192$
　　$\Rightarrow 192 \div 24 = \square, \square = 8$

2-4 $\square \times 62 = 806$
　　$\Rightarrow 806 \div 62 = \square, \square = 13$

3-1 48 mm짜리 지우개 ■개를 길게 이어 붙이면
960 mm가 됩니다.
　　$48 \times ■ = 960 \Rightarrow 960 \div 48 = ■, ■ = 20$

3-2 ■ mm짜리 풀 12개를 길게 이어 붙이면
864 mm가 됩니다.
　　$■ \times 12 = 864 \Rightarrow 864 \div 12 = ■, ■ = 72$

4-1 어떤 수를 $\square$라 하여 곱셈식을 세웁니다.
　　$13 \times \square = 78$
　　$\Rightarrow 78 \div 13 = \square, \square = 6$

4-2 어떤 수를 $\square$라 하여 곱셈식을 세웁니다.
　　$27 \times \square = 972$
　　$\Rightarrow 972 \div 27 = \square, \square = 36$

4-3 어떤 수를 $\square$라 하여 곱셈식을 세웁니다.
　　$\square \times 25 = 500$
　　$\Rightarrow 500 \div 25 = \square, \square = 20$

4-4 어떤 수를 $\square$라 하여 곱셈식을 세웁니다.
　　$\square \times 16 = 384$
　　$\Rightarrow 384 \div 16 = \square, \square = 24$

정답

풀이

1 (위부터) 8, 376, 0

2 (1) 3 ⋯ 7 (2) 14 ⋯ 12

3 6, 12

4 (1) 5, 8 (2) 40, 6

5 (1) 7 (2) 16

6 (1) 30 (2) 35

7

8 >

9 (1) 17, 53 (2) 682, 11, 62

10 (1) 21 (2) 4

2 (1)
$$
\begin{array}{r}
3 \\
15\overline{)52} \\
45 \\
\hline
7
\end{array}
$$
(2)
$$
\begin{array}{r}
14 \\
29\overline{)418} \\
29 \\
\hline
128 \\
116 \\
\hline
12
\end{array}
$$

4 (1)
$$
\begin{array}{r}
5 \\
25\overline{)133} \\
125 \\
\hline
8
\end{array}
$$
(2)
$$
\begin{array}{r}
40 \\
12\overline{)486} \\
48 \\
\hline
6
\end{array}
$$

5 (1) 98>14이므로 98÷14=7입니다.
(2) 53<848이므로 848÷53=16입니다.

6 (1) 31×☐=930
⇨ 930÷31=☐, ☐=30
(2) ☐×24=840
⇨ 840÷24=☐, ☐=35

7
$$
\begin{array}{r}
40 \\
23\overline{)925} \\
92 \\
\hline
5
\end{array}
$$
$$
\begin{array}{r}
11 \\
47\overline{)530} \\
47 \\
\hline
60 \\
47 \\
\hline
13
\end{array}
$$

8 119÷17=7, 170÷28=6 ⋯ 2
⇨ 7>6

9 (1초 동안 이동한 거리)
=(이동한 거리)÷(이동한 시간)

10 (1) 어떤 수를 ☐라 하여 곱셈식을 세웁니다.
29×☐=609
⇨ 609÷29=☐, ☐=21

(2) 어떤 수를 ☐라 하여 곱셈식을 세웁니다.
☐×19=76
⇨ 76÷19=☐, ☐=4

창의**1** 6, 24 ; 6, 24

창의**2** 7, 3, 6 ; 736

융합**3** 64

융합**4** 7, 9

창의**5** 14

창의**6** 19

융합**7** 21, 12

융합**8** 쿠키

코딩**9** 14

융합**10** 치타, 31

창의**2**
$$
\begin{array}{r}
7 \\
13\overline{)91} \\
91 \\
\hline
0
\end{array}
$$,
$$
\begin{array}{r}
3 \\
23\overline{)69} \\
69 \\
\hline
0
\end{array}
$$,
$$
\begin{array}{r}
6 \\
54\overline{)324} \\
324 \\
\hline
0
\end{array}
$$

융합**3** 960÷15=64 (kg)

융합**4** 86÷11=7 ⋯ 9
⇨ 모두 7팀을 만들 수 있고 남는 사람은 9명입니다.

창의**5** 800÷55=14 ⋯ 30
⇨ 도넛을 14개까지 만들 수 있습니다.

창의**6** 지워진 수를 ☐라 합니다.
38×☐=722 ⇨ 722÷38=☐, ☐=19

융합**7** 四百九十五 ⇨ 495, 二十三 ⇨ 23
495÷23=21 ⋯ 12

융합**8** 동규가 먹은 간식의 칼로리를 모르므로 ☐라 합니다.
☐×15=975 ⇨ 975÷15=☐, ☐=65
동규가 먹은 간식은 쿠키입니다.

코딩**9** 84는 세 자리 수가 아니므로 84+100=184, 184÷17=10 ⋯ 14에서 나머지 14가 출력됩니다.

융합**10** 치타: 1초에 496÷16=31 (m)를 달립니다.
타조: 1초에 968÷44=22 (m)를 달립니다.
⇨ 31>22이므로 더 빨리 달리는 동물은 치타입니다.

기초 학습능력 강화 프로그램

매일 조금씩 **공부력** UP

똑똑한 하루
독해&어휘

쉽다!

10분이면 하루치 공부를 마칠 수 있는
커리큘럼으로, 아이들이 쉽고 재미있게
독해&어휘에 접근할 수 있도록 구성

재미있다!

교과서는 물론 생활 속에서 쉽게
접할 수 있는 다양한 소재를 활용해
흥미로운 학습 유도

똑똑하다!

초등학생에게 꼭 필요한 상식과 함께
창의적 사고력 확장을 돕는
게임 형식의 구성으로 독해력&어휘력 학습

공부의 핵심은 독해!
예비초~초6 / 총 6단계, 12권

독해의 시작은 어휘!
예비초~초6 / 총 6단계, 6권

정답은
이안에
있어!

기초 학습능력 강화 프로그램
매일 조금씩 공부력 UP!

하루 독해   하루 어휘   하루 VOCA

하루 수학   하루 계산   하루 도형   하루 사고력

과목	교재 구성	과목	교재 구성
하루 수학	1~6학년 1·2학기 12권	하루 사고력	1~6학년 A·B단계 12권
하루 VOCA	3~6학년 A·B단계 8권	하루 글쓰기	1~6학년 A·B단계 12권
하루 사회	3~6학년 1·2학기 8권	하루 한자	1~6학년 A·B단계 12권
하루 과학	3~6학년 1·2학기 8권	하루 어휘	예비초~6학년 1~6단계 6권
하루 도형	1~6단계 6권	하루 독해	예비초~6학년 A·B단계 12권
하루 계산	1~6학년 A·B단계 12권		

※ 각 교재별 출간 시기는 조금씩 다릅니다.

기초 학습능력 강화 프로그램

2021 신간

사회·과학 기초 **탐구력** UP!

똑똑한 하루

사회·과학

쉬운 용어 학습

교과 용어를 쉽게 설명하여
기억하기도 쉽고,
교과 이해력도 향상!

재밌는 비주얼씽킹

쉽게 익히고 오~래 기억하자!
만화, 삽화, 생생한 사진으로
흥미로운 탐구 학습!

편한 스케줄링

하루 6쪽, 주 5일, 4주
쉽고 재미있게, 지루하지 않게
한 학기 공부습관 완성!

매일매일 꾸준히! 생활 속 탐구 지식부터 교과 개념까지! 초등 3~6학년(사회·과학 각 8권씩)